प्रेमचन्द : दलित एवं स्त्री विषयक विचार

प्रेमचन्द

दलित एवं स्त्री विषयक विचार

सम्पादक

जितेन्द्र श्रीवास्तव

प्रधान सम्पादक

रवीन्द्र कालिया

वाणी प्रकाशन ग्रुप
भारतीय ज्ञानपीठ

वाणी प्रकाशन : भारतीय ज्ञानपीठ की पुस्तकों के एकमात्र प्रकाशक एवं वितरक

लोकोदय ग्रन्थमाला : ग्रन्थांक 1126

पहला संस्करण : 2012
दूसरा संस्करण : 2025

वाणी प्रकाशन : भारतीय ज्ञानपीठ की पुस्तकों के एकमात्र प्रकाशक एवं वितरक

वाणी प्रकाशन
4695, 21-ए, दरियागंज, नयी दिल्ली-110 002
दूरभाष : 011-23273167, 23275710
ईमेल : sales@vaniprakashan.in
www.vaniprakashan.com

ISBN : 978-93-7112-347-1

मूल्य : ₹ 350

प्रेमचन्द : दलित एवं स्त्री विषयक विचार
(आलेख)
सम्पादक : रवीन्द्र कालिया, जितेन्द्र श्रीवास्तव

PREMCHAND : DALIT EVAM STREE VISHYAK VICHAR
(Essays)
Edited by Ravindra Kalia, Jitendra Srivasatav

मुद्रक : आर. टेक ऑफ़सेट प्रिंटर्स, दिल्ली-110 032

भूमिका

प्रेमचन्द को समझने की कोशिश

भारतीय स्वाधीनता-आन्दोलन बृहत्तर मानवीय मूल्यों का आन्दोलन था। इस आन्दोलन का प्रमुख उद्देश्य उपनिवेशवाद से मुक्ति था, लेकिन यह आन्दोलन भारतीय समाज को कूपमण्डूकता, अन्धविश्वास, सामन्तवाद आदि से मुक्त कराने के लिए चल रहे सामाजिक-आन्दोलनों को भी भरपूर समर्थन दे रहा था। कहना न होगा कि स्वाधीनता-आन्दोलन के सिपाहियों को यह ज्ञात हो चुका था कि बिना सामाजिक आन्दोलनों के स्वाधीनता-आन्दोलन को सफल नहीं बनाया जा सकता। यह अकारण नहीं है कि प्रेमचन्द ने अपने साहित्य में स्वाधीनता-आन्दोलन के साथ ही सामाजिक-आन्दोलनों को भी पूरा महत्त्व दिया है।

1. गाँधीवाद और प्रेमचन्द

प्रेमचन्द जिन दिनों अपना लेखन कार्य कर रहे थे, उन दिनों भारत के राजनीतिक और सामाजिक परिदृश्य को जिस एक व्यक्ति ने सर्वाधिक प्रभावित किया था, वह महात्मा गाँधी थे। स्वाभाविक है कि प्रेमचन्द के लेखन पर भी गाँधी का असर पड़ना था; और वह ठीक से पड़ा भी। प्रेमचन्द अगर राजनीति के क्षेत्र में गाँधीजी के सत्याग्रह से प्रभावित थे तो सामाजिक क्षेत्र में उनके धर्म सम्बन्धी विचारों, छूत-अछूत के प्रश्न पर उनके स्टैण्ड, स्त्री-शिक्षा पर उनके विचारों से प्रभावित थे।

प्रेमचन्द ने अपनी कहानियों—समर-यात्रा और दो बैलों की कथा—में सत्याग्रह का अत्यन्त प्रभावशाली चित्रण किया है। उन्होंने इन कहानियों में दिखाया है कि सत्याग्रह के मार्ग पर चलकर वह काम किया जा सकता है, जो बल प्रयोग या अन्य साधनों से शायद सम्भव न हो। इन कहानियों पर गाँधीवाद का स्पष्ट प्रभाव है।

प्रेमचन्द धर्म सम्बन्धी गाँधी के चिन्तन से बहुत दूर तक सहमत दिखाई देते हैं। गाँधीजी की मान्यता थी कि धर्मों को आपस में वैर-भाव नहीं रखना

चाहिए। 11 दिसम्बर, 1909 को 'इण्डियन ओपीनियन' में गाँधीजी ने लिखा था, "धर्म तो एक ही जगह पहुँचने के अलग-अलग रास्ते हैं।...अन्य व्यक्ति ऐसे धर्म का पालन करता है जो हमें पसन्द नहीं आता, तो इसलिए उसके प्रति वैर-भाव रखना उचित नहीं है। हमें उसके साथ जबर्दस्ती नहीं करनी चाहिए।"[1] 28 अक्टूबर, 1911 को उन्होंने 'इण्डियन ओपीनियन' में लिखा, "धर्म भले ही अलग-अलग हों, किन्तु एक ही महापुरुष को—एक ही वस्तु को—आप अल्लाह के नाम से और मैं ईश्वर के नाम से पूजूँ तो इसमें क्या बुराई है। आप एक दिशा में मुँह करके पूजते हैं और मैं दूसरी दिशा में करके, तो इसके कारण मैं आपसे क्यों वैर बाँधूँ।"[2] इस विषय पर प्रेमचन्द का विचार इस प्रकार है, "तो भी हम यह कह देना उचित समझते हैं कि जब उपासना एक ही परमात्मा की है और केवल बाह्यरूप में भेद है तो हिन्दू लोग क्यों इसकी राह देखें कि जब मुसलमान हमारे धर्म का आदर करेंगे तो हम भी उनके धर्म का आदर करेंगे। अगर धर्म का आदर करना अच्छा है तो हर हालत में अच्छा है। इसके लिए किसी शर्त की जरूरत नहीं। अच्छा काम करनेवाले को सब अच्छा कहते हैं।"[3] यहाँ यह ध्यातव्य है कि प्रेमचन्द का यह कथन फरवरी 1924 का है। वे गाँधी के विचारों को अपनी समझ से प्रस्तुत कर रहे थे। उनकी अपनी इतिहास दृष्टि थी।

9 नवम्बर, 1907 को गाँधीजी ने 'इण्डियन ओपीनियन' में लिखा, "हर धर्मवाले यदि अपने-अपने धर्म का सच्चा रहस्य जान जाएँ तो आपस में द्वेष नहीं कर सकते।"[4] लेकिन धर्म और मनुष्य—दोनों के दुर्भाग्य से द्वेष पैदा करनेवाले आ ही जाते हैं। वे अपनी रोटी सेंकने के चक्कर में मनुष्य समाज का अहित करते हैं। गाँधीजी को इसका दुःख था कि धर्म प्रचारक और धर्म के नाम पर राजनीति करनेवाले इसे विद्रूप बना देते हैं। प्रेमचन्द का भी मानना था, "दुर्भाग्य से वर्तमान समय में धर्म विश्वासों के संस्कार का साधन नहीं, राजनीतिक स्वार्थ सिद्धि का साधन बना लिया गया है। उसकी हैसियत पागलपन की-सी हो गयी है; जिसका उसूल है कि सबकुछ अपने लिए दूसरों के लिए कुछ नहीं।"[5] उन्होंने अपनी कहानियों ज़िहाद, हिंसा परमो धर्मः, आदि में धर्म की विकृतियों का गम्भीरता से चित्रण किया है। स्वाधीनता आन्दोलन को ध्यान में रखते हुए उन्होंने हिन्दुओं-मुसलमानों को एक ही नाव का सवार कहा था।[6] उनके लिए भारत में धर्म की समस्या एक साथ सामाजिक और राजनीतिक समस्या थी। भारतीय स्वाधीनता-आन्दोलन की सफलता को ध्यान में रखकर वे गाँधीजी के धर्म सम्बन्धी विचारों का पूरा समर्थन कर रहे थे। गाँधीजी ने कहा था, "जो मनुष्य अपनी बुद्धि और मस्तिष्क का उपयोग नहीं करता और बाढ़ के पानी में लकड़ी की तरह बहता

रहता है, वह नीति को कैसे समझेगा?''[7] प्रेमचन्द अपनी कहानी 'ज़िहाद' में 'ख़ज़ा' नामक पात्र से कहलवाते हैं, ''अगर तुम मुझे काफिर समझते हो तो समझो। मैं अपने को तुमसे ज़्यादा खुदापरस्त समझता हूँ। मैं उस धर्म को मानता हूँ, जिसकी बुनियाद अक्ल पर है।''[8]

प्रेमचन्द स्त्री शिक्षा के विषय में गाँधीजी के विचारों से सहमत थे। उनका स्पष्ट मानना था कि जिस प्रकार से हम लड़कों पर विश्वास करके उन्हें पढ़ने-लिखने के लिए बाहर भेज देते हैं, ठीक उसी प्रकार हमें लड़कियों पर भी विश्वास करके उन्हें शिक्षा के क्षेत्र में आगे बढ़ाना चाहिए।[9] गाँधीजी की तरह प्रेमचन्द भी मानते थे कि बिना 'स्त्री मुक्ति' के भारतीय समाज उन्नति नहीं कर सकता। उनका मानना था कि पुरुषों को चाहिए कि वे अपनी स्त्रियों को अपनी सम्पत्ति समझकर उनके साथ दुर्व्यवहार न करें।

'छूत-अछूत' के प्रश्न पर प्रेमचन्द गाँधीवाद से प्रभावित दिखाई देते हैं। गाँधीजी का यह प्रभाव उनके कथा और विचार साहित्य, दोनों में दिखाई देता है। अछूत कही जानेवाली जातियों के सामाजिक उत्थान को ध्यान में रखकर महात्मा गाँधी ने 'मन्दिर प्रवेश' का आन्दोलन चलाया था। ऐतिहासिक साक्ष्यों के अनुसार, इस आन्दोलन का व्यापक असर हुआ था। प्रेमचन्द ने 'मन्दिर प्रवेश आन्दोलन' और उसके प्रभाव—दोनों का विस्तार से चित्रण-वर्णन किया है। अपने एक लेख में वे लिखते हैं, ''कहा जाता है कि अछूतों की आदतें गन्दी हैं, वे रोज स्नान नहीं करते, निषिद्ध कर्म करते हैं, आदि। क्या जितने सछूत हैं, वे रोज स्नान करते हैं, क्या कश्मीर और अल्मोड़ा के ब्राह्मण रोज नहाते हैं? हमने इसी काशी में ऐसे ब्राह्मणों को देखा है, जो जाड़ों में महीने में एक बार स्नान करते हैं। फिर भी वे पवित्र हैं। यह इसी अन्याय का प्रायश्चित्त है कि संसार के अन्य देशों में हिन्दू-मात्र को अछूत समझा जाता है। फिर शराब क्या ब्राह्मण नहीं पीते। इसी काशी में हजारों मदसेवी ब्राह्मण—और वह भी तिलकधारी, निकल आएँगे, फिर भी वे ब्राह्मण हैं। ब्राह्मणों के घरों में चमारियाँ हैं, फिर भी उनके ब्राह्मणत्व में बाधा नहीं आती, किन्तु अछूत नित्य स्नान करता हो, कितना ही आचारवान हो वह मन्दिर में नहीं जा सकता। क्या इसी नीति पर हिन्दू धर्म स्थिर रह सकता है?''[10] यहाँ गाँधीजी का एक कथन याद आता है। उन्होंने कहा था, ''अस्पृश्यता को बुद्धि नहीं ग्रहण कर सकती। वह सत्य का, अहिंसा का विरोधी धर्म है, इसलिए धर्म हीं नहीं है। हम ऊँच और दूसरे नीच हैं, यह विचार ही नीच है।''[11]

प्रेमचन्द ने 'मन्दिर प्रवेश' का प्रभावशाली चित्रण अपने कथा, साहित्य में किया है। मन्दिर प्रवेश के विषय में यह एक महत्त्वपूर्ण तथ्य है कि आरम्भ में डॉ. अम्बेडकर ही इसके लिए आगे बढ़े थे। बाद में गाँधीजी ने भी इसे बढ़ावा

दिया। अत: इस सन्दर्भ में यह कहना ही उचित होगा कि प्रेमचन्द ने 'मन्दिर प्रवेश' के मसले पर इन दोनों महापुरुषों से प्रेरणा ग्रहण की थी। उनके 'कर्मभूमि' शीर्षक उपन्यास में इस आन्दोलन का जीवन्त चित्रण हुआ है। इस उपन्यास के एक महत्त्वपूर्ण पात्र डॉ. शान्तिकुमार कहते हैं, ''मन्दिर किसी एक आदमी या समुदाय की चीज नहीं है।''[12] यही शान्तिकुमार वितृष्णा से भरकर तथाकथित धर्माचार्यों को चुनौती देते हुए कहते हैं कि ''अन्धे भक्तों की आँखों में धूल झोंककर यह हलवे बहुत दिन खाने को न मिलेंगे महाराज, समझ गये? अब वह समय आ रहा है, जब भगवान भी पानी से स्नान करेंगे, दूध से नहीं।''[13] कहना न होगा कि यह हिन्दू धर्म का पाखण्डी स्वरूप था, जिस पर प्रेमचन्द प्रहार कर रहे थे। गाँधीजी ने भी 6 मार्च, 1937 को हिन्दू धर्म के 'कृष्ण पक्ष' की बात की थी।[14] गाँधीजी ने कई मठों को हिन्दू धर्म के लिए कलंक माना था। यहाँ ध्यान दें तो यह बात साफ़ है कि इस मुद्दे पर प्रेमचन्द गाँधीजी से सहमत थे। प्रेमचन्द का भी मानना था कि मठ हिन्दू धर्म और मानवता के लिए कलंक है। उन्होंने 26 मार्च, 1934 ई. को अपने एक लेख में लिखा था, ''कितना वीभत्स है यह दृश्य कि एक मोटा-सा जटाधारी जीव धूनी लगाए बैठा है और एक दर्जन मनुष्य उसके पास बैठे चरस के दम लगाकर अपने जीवन को सफल कर रहे हैं। जनता की मनोवृत्ति जब तक ऐसी है, केवल राजनीतिक अधिकारों से उसका कल्याण नहीं हो सकता।''[15] कहने की आवश्यकता नहीं कि गाँधीजी की तरह प्रेमचन्द भी सामाजिक मुक्ति को प्राथमिकता देते थे। मन्दिरों की बदलती भूमिका को लेकर प्रेमचन्द बहुत चिन्तित थे। उन्होंने लिखा था, ''हिन्दू समाज के परम पवित्र तथा मानवीय मन्दिरों की ओर दृष्टिपात करने से हृदय काँप उठता है। वहाँ की दशा दयनीय ही नहीं, चिन्ताजनक भी है।...यह बात अब किसी से छिपी नहीं है कि इन मन्दिरों की आड़ में आज बड़े-बड़े लज्जाजनक कृत्य हो रहे हैं। पुजारियों का, महन्तों का और धर्मगुरुओं का जीवन भयानक विलासिता से भरा हुआ है। वे मन्दिरों की आड़ में जघन्य-से-जघन्य कर्म करते नहीं शर्माते। ईश्वर को गाना सुनाकर खुश करने के लिए उन्हें वेश्याएँ चाहिए। इस बहाने वे अपनी राक्षसी कामना को पूर्ण करते हैं और अपने जीवन को विलास-वासना और पतन के गहरे गड्ढे में डाल देते हैं। तिस पर भी, हिन्दू समाज के लिए वे पूज्य हैं, माननीय हैं और देवता-तुल्य हैं; क्योंकि वे पुजारी हैं, महन्त हैं और धर्मगुरु हैं। प्रतिदिन अनेक भोली-भाली तथा धर्मभीरु युवतियाँ पुण्य कमाने के लिए मन्दिरों में पहुँचती हैं और वे उन ईश्वर के प्रतिनिधियों की काम-वासना की शिकार बन जाती हैं। हिन्दू समाज को यह सबकुछ मालूम है। प्रतिदिन उसकी आँखों के सामने ऐसे दृश्य आते रहते हैं, लेकिन वह आँखों पर पट्टी बाँधकर, जबान

पर ताला लगाकर चुप हैं, क्योंकि आखिर वे लोग धर्म के ठेकेदार हैं।''[16] प्रेमचन्द के इस कथन से साफ़ ज़ाहिर होता है कि गाँधीजी की तरह वे भी हिन्दू धर्म की कमजोरियों पर लगातार कुठाराघात कर रहे थे। बीसवीं सदी के चौथे दशक में यह दृष्टि निश्चित रूप से प्रगतिशील ही कही जाएगी।

प्रेमचन्द के साहित्य का अध्ययन करते हुए यह बात बिलकुल स्पष्ट है कि उन पर गाँधीजी के विचारों का प्रभाव था। और यह प्रभाव जहाँ तक है, उसे गलत नहीं कहा जा सकता। जैसा कि विदित है, गाँधीजी उस समय केन्द्रीय व्यक्तित्व थे, इसलिए उनके विचारों का कमोबेश प्रभाव पड़ना स्वाभाविक ही कहा जाएगा। लेकिन प्रेमचन्द को पढ़ते हुए बार-बार यह भी लगता है कि वे गाँधीजी के विचारों को आँख मूँदकर स्वीकार करनेवालों में न थे। इस सन्दर्भ में प्रो. मैनेजर पाण्डेय ने बिलकुल ठीक कहा है, ''वे न कभी अभिभूत गाँधीवादी थे और न कभी गाँधीवाद के एकदम विरोधी।''[17] निष्कर्ष रूप में कहा जा सकता है कि प्रेमचन्द का गाँधीवाद के साथ एक आलोचनात्मक रिश्ता था।

2. किसान आन्दोलन और प्रेमचन्द

किसानों का प्रेमचन्द के लेखन के साथ कुछ वैसा ही रिश्ता है, जैसा साँसों का ज़िन्दगी के साथ होता है। प्रेमचन्द अपने समय के सम्भवत: अकेले ऐसे रचनाकार थे जिन्होंने हिन्दुस्तान के समाजशास्त्र और अर्थशास्त्र—दोनों को ठीक से समझा था। उनकी यही समझ उन्हें किसानों-दलितों और स्त्रियों के पक्ष में खड़ा करती है।

यह महज संयोग नहीं है कि हिन्दी में प्रकाशित होनेवाला उनका पहला महत्त्वपूर्ण उपन्यास 'प्रेमाश्रम' किसान जीवन पर आधारित है। 'प्रेमाश्रम' के रचनाकाल और उसी के आसपास हुए अवध के किसान आन्दोलन को लेकर पर्याप्त बहसें हो चुकी हैं। यह भी स्वीकार किया जा चुका है कि 'प्रेमाश्रम' के मूल उर्दू मसौदे की रचना 2 मई 1918 ई. को शुरू होकर 25 फरवरी, 1920 को पूरी हो गयी।''[18] जबकि यह ऐतिहासिक तथ्य है कि अवध का किसान आन्दोलन जनवरी, 1921 में शुरू हुआ। ये तथ्य बताते हैं कि प्रेमचन्द उन समस्याओं को लेकर कितने सजग थे, जिनके कारण 'अवध का आन्दोलन' अस्तित्व में आया। वे पहले लेखक हैं, जिन्होंने जमींदारी उन्मूलन की बात की।

प्रेमचन्द को भारतीय किसान जीवन का गहरा ज्ञान था। वे 'किसानों की चेतना के बहुत गिरे स्तर' का विश्वसनीय यथार्थ चित्र तो पेश करते ही हैं, साथ-ही-साथ अपने युग के किसानों को वर्गहित तथा मान-अपमान के प्रश्न पर प्रतिकार, संघर्ष और संगठित प्रतिरोध की दिशा में हरकत करते हुए भी दिखलाई देते हैं।[19] 'प्रेमाश्रम' का बलराज गाँववालों से कहता है, ''तुम लोग तो ऐसी हँसी उड़ाते

हो, मानो काश्तकार कुछ होता ही नहीं। वह जमींदार की बेगार भरने के लिए बनाया गया है। लेकिन मेरे पास जो पत्र आता है, उसमें लिखा है कि रूस देश में काश्तकारों का ही राज है। वह जो चाहते हैं, करते हैं। उसी के पास कोई और देश बलगारी है, जहाँ अभी हाल ही की बात है, काश्तकारों ने राजा को गद्दी से उतार दिया और अब किसानों और मजदूरों की पंचायत राज करती है।''[20] यहाँ ध्यान देने की बात है कि प्रेमचन्द दुनिया के अन्य देशों में चल रहे किसान आन्दोलन और उनकी सफलता से पूरी तरह परिचित होकर वैसे ही आन्दोलन की परिकल्पना प्रस्तुत करते हैं।

यह महज संयोग नहीं है कि जिस लगान की समस्या को प्रेमचन्द ने अपनी रचनाओं में प्रमुखता से चित्रित करते हुए यह रेखांकित किया कि यह अमानवीय और अनैतिक है, उसी लगान की समस्या ने अवध के किसान-आन्दोलन को जन्म दिया। बलराज जैसे चरित्रों के माध्यम से प्रेमचन्द ने ऐसे आन्दोलनों का संकेत दे दिया था।

प्रेमचन्द ने 'प्रेमाश्रम' या अपनी अन्य रचनाओं में किसानों को जो केन्द्रीयता प्रदान की है, वह सिर्फ रोमैंटिक आवेश के कारण नहीं है। उनका लेखन इस बात का प्रमाण प्रस्तुत करता है कि उन्हें किसानों की दुर्दशा के ढेर सारे तथ्य मिले थे। अपने लेखों में उन्होंने आँकड़े प्रस्तुत किए हैं। उनके वर्णन को सत्य सिद्ध करते हुए अनेक ऐतिहासिक दस्तावेज उपलब्ध हैं। 9 फरवरी, 1920 को 'प्रताप' में अवध के एक किसान जगदत्त सिंह, फौजी सिपाही की एक चिट्ठी प्रकाशित हुई थी। अपनी चिट्ठी में जगदत्त सिंह ने लिखा था, ''अवध की भोली जनता यह पुकार कर कहती है कि काश्तकारान से जमींदार खेत छीन लेते हैं। किसान जब खेती के लिए जमींदारान के पास जाते हैं, तब जमींदारान किसानों से पूछते हैं कि कितने रुपये नज़र दोगे?'' किसान कहते हैं कि जो आप फरमावें। इस प्रकार अधिक रुपये लेकर किसी दूसरे किसान पर बेदखली लगाकर जमीन छीनकर जमींदार उस किसान को जमीन देते हैं। कुछ वर्षों बाद जमीन छीनकर तीसरे किसान को दे देते हैं और नज़र तथा मालगुजारी उससे और अधिक तय करते हैं।...किसान की मृत्यु के पश्चात जमीन का किसान के लड़के-बच्चों से छीन लिया जाना भी अधर्म है। इस प्रकार का अन्याय बाराबंकी, लखनऊ, उन्नाव, रायबरेली आदि में बहुतायत से दिखाई पड़ता है।''[21] कहने की आवश्यकता नहीं कि जगदत्त सिंह जैसे किसानों की आवाज को प्रेमचन्द अपने लेखन में अन्त तक सर्वोपरि ही रखते रहे।

'प्रेमाश्रम' की रचना से पूर्व 'चम्पारन का किसान विद्रोह हो चुका था। चम्पारन के किसानों के हौसले से प्रेमचन्द को बल मिला होगा, इसे अस्वीकार

नहीं किया जा सकता है। अवध के किसान–आन्दोलन और 'प्रेमाश्रम' पर विचार करते हुए मुरली मनोहर प्रसाद सिंह ने लिखा है, "अवध के किसान–आन्दोलन पर उपलब्ध ऐतिहासिक दस्तावेज बतलाते हैं कि प्रेमचन्द ने उपन्यास के केन्द्र में उत्पीड़ित किसान जनता को क्यों रखा? फिलहाल 'प्रेमाश्रम' की कथा में उपस्थित बेदखली के खिलाफ स्वतः स्फूर्त किसान संघर्ष की प्रेरणाओं पर ही कुछ ऐतिहासिक सन्दर्भों का उल्लेख किया जा सकता है। 'पायोनियर' के संवाददाता ने 1921 के जनवरी में 'लन्दन–प्रेस' को 'रायबरेली' के किसान उपद्रव की रिपोर्ट टेलीग्राम द्वारा भेजी कि बागी किसानों ने अपने नियन्त्रण के सम्पूर्ण क्षेत्र पर 'सोवियतें' स्थापित कर ली हैं। अवध के किसानों के जुझारू संघर्ष का यह ब्यौरा जब लन्दन स्थित भारत के राज्य सचिव ने पढ़ा तो घबराहट से वह काँप उठा।"[22] यह सच है कि 'प्रेमाश्रम' में उपस्थित समस्या ही अवध के किसानों की समस्या थी और प्रेमचन्द ने अवध के किसान आन्दोलन से पूर्व ही इसे अपनी रचना का विषय बनाया था।

'कर्मभूमि' में भी प्रेमचन्द किसान समस्या को उठाते हैं और आन्दोलन का जीवन्त चित्रण करते हैं। इस उपन्यास में वे किसानों के दोहरे शोषण का चित्रण करते हुए आत्भानन्द जैसे विद्रोही चरित्रों का सृजन करते हैं। इस उपन्यास में वे दिखाते हैं कि किस प्रकार से किसानों को लगान और धर्म के नाम पर शोषित किया जा रहा है। वे यह भी दिखाते हैं कि मध्यवर्ग से आए हुए नेता बनने और कहलाने की आकांक्षा से भरे हुए अमरकान्त जैसे लोग कितने लिजलिजे होते हैं। ऐसे लोगों पर विश्वास करना ठीक नहीं है। वे आत्मानन्द को ही ईमानदार किसान नेता के रूप में प्रस्तुत करते हैं और आन्दोलन को ठीक दिशा में आगे बढ़ाते हैं।

उनके सर्वाधिक चर्चित उपन्यास 'गोदान' में कोई किसान आन्दोलन तो नहीं है, लेकिन किसान जीवन का जो हृदयस्पर्शी चित्रण उसमें हुआ है, वह एक बड़े किसान आन्दोलन की भूमिका तैयार करने में सक्षम है। यह एक और लेकिन विडम्बनापूर्ण तथ्य है कि 'गोदान' के लिखे जाने के दस–बारह वर्षों के बाद ही भारत आज़ाद हो गया और कहने के लिए जमींदारी व्यवस्था खत्म हो गयी और सरकारी फाइलों में गाँव और किसान का जीवन गुलाबी हो गया।

किसान आन्दोलनों के साथ प्रेमचन्द का सम्बन्ध निर्धारित करते हुए यह बात उभरकर सामने आती है, "पतनशील सामन्ती समाज की अन्तःक्रियाओं के केन्द्र में बैठकर प्रेमचन्द ग़रीब किसानों और स्त्रियों की करुण अवस्था ही नहीं दिखलाते, पैरों में पड़ी बेड़ियों से मुक्ति की छटपटाहट और संघर्ष गाथा भी अंकित करते हैं। ह्रासशील समाज की अन्तःक्रिया के वृत्तान्त के भीतर भविष्य की यथार्थ

चेतना भी वस्तुगत विकासक्रम की ऐतिहासिक सीमाओं के साथ बार-बार प्रतिध्वनित होती है। पुराना समाज जब टूटने लगता है तो किस प्रकार सामन्तों का ही एक हिस्सा नवयुग की चेतना से प्रेरित होकर अपने जमाने की प्रगतिशील शक्तियों के साथ आ मिलता है। सामन्तों का जो हिस्सा ग़रीब किसानों और मध्यवर्ग की प्रगतिशील ताकतों के साथ हाथ मिलाता है, उनकी अन्त: प्रेरणाओं के अवलम्ब अलग-अलग प्रकार के होते हैं, आदर्श के प्रति उत्सर्ग भावना के अनेक स्तर होते हैं—कुछ लोग अपनी आर्थिक स्थिति के कारण ऐसा करते हैं, कुछ पारिवारिक अन्त:संघर्ष के कारण इस नतीजे पर पहुँचते हैं और कुछ अपने पापाचारों के प्रति प्रायश्चित्त भावना से भी अनुप्राणित होकर नयी दिशा के पीछे घिसटते चलते हैं। और कुछ लोग ऐसे भी होते हैं जो नये मानववादी आदर्शों और स्वप्नों के प्रति रूमानी उत्साह के कारण प्रगति की दिशा में कदम बढ़ाते हैं। 'प्रेमाश्रम', 'कर्मभूमि' और 'गोदान' में इस सम्पूर्ण प्रक्रिया का अनोखा दस्तावेज उपलब्ध है।''[23]

प्रेमचन्द ने सिर्फ कहानियों और उपन्यासों में ही किसान-संघर्ष का चित्रण करके छोड़ नहीं दिया, बल्कि उन्होंने किसानों के हित के लिए लगातार लेख और टिप्पणियाँ भी लिखीं। उनकी दिली इच्छा थी कि जमींदारी खत्म हो और किसान शोषण से मुक्त होकर अमन-चैन की ज़िन्दगी जी सकें। उन्होंने तत्कालीन सरकार और जमींदारों की मिली-भगत पर टिप्पणी करते हुए कहा था, ''उन्हीं जमींदारों में बहुत ऐसे हैं, जिनका अधिकांश जीवन नगरों की विलासिता में व्यतीत होता है। उन्हें अपनी प्रजा से केवल इतना सम्बन्ध है कि प्रजा उनकी सीधी, बेजबान, दुधारू गाय है। उनका काम केवल गाय का दूध दुह लेना है। गाय को भूसी-खली भी मिलता है या नहीं, इसकी उन्हें बिलकुल चिन्ता नहीं होती। कितने ही तो अपने इलाके का दर्शन तक नहीं करते। मुख्तार उन्हें रुपये देता जाए, बस, और उनसे प्रजा के सुख-दुख से प्रयोजन नहीं। ऐसे जमींदारों की रक्षा करके सरकार उनकी विलासी मनोवृत्ति को और भी प्रोत्साहित करेगी।''[24] कहने की आवश्यकता नहीं कि प्रेमचन्द का किसानों और किसान-आन्दोलनों से गहरा रिश्ता था। उनका साहित्य इस रिश्ते का प्रमाण है।

3. दलित आन्दोलन और प्रेमचन्द

बीसवीं शताब्दी के दूसरे और तीसरे दशक में अपनी कहानियों और उपन्यासों में अछूत कहे जानेवाले लोगों को नायकत्व प्रदान करके प्रेमचन्द ने अपनी मनुष्यता और लेखकीय प्रतिबद्धता का परिचय दिया था। यहाँ अलग से याद दिलाने की आवश्यकता नहीं है कि उस समय में प्रेमचन्द का यह कार्य क्रांतिकारी महत्त्व का था। कहना न होगा कि यह उनके जैसे कद्दावर लेखक के ही बूते की बात थी।

दलित आन्दोलनों के साथ प्रेमचन्द के सम्बन्ध को परखते हुए यह बात जरूरी है कि हम गाँधीजी और डॉ. अम्बेडकर—दोनों के आन्दोलनों के सन्दर्भ में प्रेमचन्द के लेखन को देखें।

दलित आन्दोलनों के सन्दर्भ में मन्दिर प्रवेश आन्दोलन को पहले स्थान पर रखा जा सकता है। कहा जाता है कि प्रेमचन्द ने इसका समर्थन और चित्रण महात्मा गाँधी के प्रभाव में किया था। हो सकता है, यह सच भी हो। लेकिन यहाँ डॉ. अम्बेडकर के नेतृत्व में सम्पन्न हुए 'कालाराम मन्दिर प्रवेश आन्दोलन' को याद करना प्रसांगानुकूल है। 'अम्बेडकर: जीवन-दर्शन' पुस्तक में डी.आर. निम लिखते हैं, "अछूतों ने अपना कार्य आगे बढ़ाने के लिए नासिक के कालाराम मन्दिर में प्रवेश की योजना बनाई। मई 1930 में मन्दिर प्रवेश के लिए सत्याग्रह की योजना बनाई गयी। अछूतों ने कालाराम मन्दिर में घुसकर पूजा करने का प्रण किया। जोर-शोर के साथ नासिक में मन्दिर प्रवेश के लिए सत्याग्रह शुरू हो गया।...डॉ. अम्बेडकर ने बम्बई से ही नासिक के कालाराम मन्दिर का संचालन किया था।"[25] ऐतिहासिक तथ्य बताते हैं कि इस आन्दोलन में धर्म के ठेकेदारों और दलित सत्याग्रहियों में संघर्ष हुआ था और अँग्रेजों ने इसका फ़ायदा भी लिया था। यहाँ प्रेमचन्द के सन्दर्भ में यह याद रखने की बात है कि 'कर्मभूमि' नामक उपन्यास इस आन्दोलन के बाद लिखा गया था। इस उपन्यास में प्रेमचन्द ने मन्दिर प्रवेश आन्दोलन का प्रभावशाली चित्रण किया है।

डॉ. अम्बेडकर ने बाद में 'मन्दिर प्रवेश' से ज़्यादा ज़रूरी बराबरी और नागरिक अधिकारों को समझा, जो कि उचित भी था। उन्होंने श्री रंगा अय्यर द्वारा प्रस्तुत 'मन्दिर प्रवेश बिल' को गाँधीजी के बार-बार निवेदन करने पर भी पूर्ण सहयोग नहीं दिया। उन्होंने कहा कि नये मन्दिर बनाने से छुआछूत दूर करना अधिक उपयोगी; महत्त्वपूर्ण और लाभदायक है। उनके विचार थे, "पददलित बराबरी और नागरिक अधिकारों के लिए लड़ रहे थे। यदि तुम कहते हो कि आपका धर्म हमारा धर्म है, तब आपके अधिकार और हमारे अधिकार बराबर होने चाहिए। क्या यह ऐसा ही है?...जो धर्म अपने करोड़ों माननेवालों को बुरा समझता है, कुत्ते और जानवरों के मुकाबिले और उन पर अनेक प्रकार की न ठीक होनेवाली आपत्तियाँ डालता है, धर्म नहीं। किसी भी गलत काम को धर्म के अन्तर्गत नहीं लाया जा सकता। धर्म और दासता का कोई साथ नहीं है।"[26] यहाँ अपने उपन्यासों औ. कहानियों तथा लेखों में व्यक्त किए गये प्रेमचन्द के धर्म और दासता सम्बन्धी विचारों को याद किया जा सकता है। डॉ. अम्बेडकर का मानना था, "देवपूजा से ज़्यादा ज़रूरी है पेटपूजा के लिए अन्न पाना। अन्य लोगों ने अपना स्वार्थ साधा,

इसलिए हमारी यह दुर्दशा हुई है। भगवान भरोसे जीना मत सीखो, अपनी बाजुओं के बल पर अपना काम करना सीखो।''[27] ध्यान से देखने पर प्रेमचन्द के साहित्य में भी ऐसे विचार मिलते हैं।

सन् 1927 ई. के 19 तथा 20 मार्च को महद में अछूतों की एक बड़ी सभा को सम्बोधित करते हुए डॉ. भीमराव अम्बेडकर ने कहा था—

1. अछूत ऊँच-नीच का विचार अपने दिमाग से निकाल दें।
2. अपनी मदद अपने-आप करने, ज्ञान अर्जित करने तथा सम्मान से जीने की शपथ लें।
3. मुर्दा जानवर खाना छोड़ दें।[28]

डॉ. अम्बेडकर की ये तीनों बातें प्रेमचन्द के साहित्य में उपलब्ध हैं। 'कर्मभूमि' में मुर्दा जानवर खाने की प्रवृत्ति को रेखांकित करते हुए उन्होंने इसे रोकने की बात की है। इसी उपन्यास में उन्होंने अछूतों के आत्मसम्मान का प्रश्न भी उठाया है। 'गोदान' में दलितों का विद्रोह और मातादीन के मुँह में हड्डी डलवाने का चित्रण प्रेमचन्द ने ही किया। उस दौर के किसी अन्य लेखक में यह साहस न था। दलित आन्दोलन और उससे प्रेमचन्द के सम्बन्ध के सन्दर्भ में प्रो. मैनेजर पाण्डेय का यह कथन बहुत महत्वपूर्ण है। वे लिखते हैं, ''हिन्दी के जिस गैरदलित लेखक ने सबसे अधिक प्रभावशाली दलित कहानियों की रचना की है, वह हैं प्रेमचन्द। प्रेमचन्द की दलित जीवन से जुड़ी रचनाओं पर अम्बेडकर के आन्दोलन और विचारों का गहरा असर है। अगर आप प्रेमचन्द की दलित जीवन से जुड़ी कहानियों के प्रकाशन काल को ध्यान से देखें तो यह बात स्पष्ट हो जाएगी। 1927 के पहले प्रेमचन्द ने 'लोकमत का सम्मान', 'सौभाग्य के कोड़े' और मन्त्र—एक (1926) जैसी कहानियाँ लिखी थीं, जिनमें कोई विशिष्ट दलित चेतना नहीं, सामान्य मानवीय करुणा की अभिव्यक्ति थी। लेकिन 1927 में अम्बेडकर के महद में चलाए गये आन्दोलन के बाद दलितों के बारे में प्रेमचन्द के दृष्टिकोण में महत्त्वपूर्ण परिवर्तन दिखलाई देता है, जिसकी पहली अभिव्यक्ति 'मन्त्र-दो' (1928) नामक कहानी में है। 1930 के बाद अम्बेडकर के मन्दिर प्रवेश सम्बन्धी आन्दोलन का प्रेमचन्द पर गहरा असर पड़ा, जिसके परिणामस्वरूप उनकी दलित जीवन सम्बन्धी कहानियों में नयी चेतना और तेजस्विता आयी। सन् 1931 में सद्‌गति, 1932 में 'ठाकुर का कुआँ' 1934 में 'दूध का दाम' जैसी कहानियाँ लिखीं, जिन्हें दलित जीवन की महत्त्वपूर्ण कहानियाँ कहा जाता है।''[29] प्रो. पाण्डेय ने विस्तार से दलित-आन्दोलन और प्रेमचन्द के सम्बन्ध की व्याख्या की है। सन् 1932 ई. में लिखी गयी कहानी 'ठाकुर का कुआँ' के सम्बन्ध में एक महत्त्वपूर्ण तथ्य यह भी है कि इस कहानी के लिखे जाने के सात-आठ वर्ष

पूर्व ही बम्बई विधानसभा में 'एस.के. बोले' ने एक प्रस्ताव पेश किया था, जिसमें कहा गया था, "विधानसभा सिफारिश करती है कि अछूत समाज को सार्वजनिक पानी के स्थान, कुएँ तथा धर्मशालाएँ, जिनका निर्माण तथा व्यवस्था सरकारी धन से होती है अथवा सरकार द्वारा संचालित संस्थाओं द्वारा होती है तथा सरकारी स्कूल, अदालतें, कार्यालय तथा हस्पताल का उपयोग करने देना चाहिए।"[30]

कहने का आशय यह है कि इस प्रस्ताव के स्वीकृत होने के बाद भी बम्बई या देश के अन्य क्षेत्रों में सवर्ण जाति के लोगों ने इसे मन से स्वीकार नहीं किया। यही कारण था कि इस समस्या पर प्रेमचनद ने 'ठाकुर का कुआँ' जैसी कहानी लिखी। अदना-सा चीज पीने का पानी भी दलितों को मयस्सर नहीं था। प्रेमचन्द अपनी कहानी के माध्यम से वर्णाश्रम व्यवस्था के प्रति घृणा पैदा करते हैं।

आजकल हिन्दी में दलित लेखन एक आन्दोलन के रूप में चल रहा है। दलित लेखक प्रेमचन्द को महत्त्वपूर्ण लेखक तो मानते हैं लेकिन उनकी चेतना को क्रांतिकारी नहीं मानते हैं। इस सन्दर्भ में प्रो. नामवर सिंह के विचार द्रष्टव्य हैं। वे लिखते हैं, "प्रेमचन्द के सन्दर्भ में दलितों की समस्या पर विचार होता रहा है, प्रसंगवश ही होता है, लेकिन होता रहा है। लेकिन दलित साहित्य के सन्दर्भ में प्रेमचन्द पर विचार कम होता रहा है, क्योंकि प्रेमचन्द के साहित्य में भले ही दलितों की समस्या पर लिखा गया हो लेकिन ये तथ्य है कि प्रेमचन्द दलित साहित्यकार नहीं थे। और इससे प्रेमचन्द की तौहीन नहीं होती।...बलात् दलित साहित्य की अवधारणा और प्रेमचन्द को गड्डमड्ड करने की कोशिश नहीं करनी चाहिए। वस्तुगत ढंग से, वैज्ञानिक ढंग से प्रेमचनद के साहित्य में दलित जीवन और दलित साहित्य का जो भी स्वरूप प्रकट होता है, उसे स्पष्टता से कहते हुए दलित साहित्य, जो अपनी स्वतन्त्रता और स्वायत्तता प्राप्त करना चाहता है और उसका आग्रही है, उसका पूरा सम्मान किया जाना चाहिए।"[31]

प्रेमचन्द के सम्बन्ध में एक दिलचस्प लेकिन महत्त्वपूर्ण तथ्य है कि उनके जीवन की पहली रचना भी दलितों से सम्बद्ध थी और अन्तिम रचना 'गोदान' भी। उनकी पहली रचना एक कहानी थी, जिसे बाद में याद करते हुए उन्होंने लिखा था, "वह खो गयी मेरी पहली रचना।" इस कहानी में उन्होंने अपने मामा और एक दलित स्त्री के अवैध सम्बन्ध का चित्रण किया था। इस कहानी की विशेषता थी—मामा की मरम्मत। 'गोदान' में भी दलित मातादीन को घेर लेते हैं। मुँह में हड्डी डालते हैं। यहाँ प्रेमचन्द की पहली और अन्तिम रचना में विषय साम्य को महज संयोग कहकर नहीं टाला जा सकता है यह उनके दलित समाज के प्रति आत्मिक लगाव के कारण ही सम्भव हुआ था। उनके विषय में यह भी एक महत्त्वपूर्ण तथ्य है, "किसानों के विपरीत उनके (प्रेमचन्द) अस्पृश्य स्वभाव

में धारदार और प्रकृति से विद्रोही हैं। प्रेमचन्द के सम्पूर्ण कथा-साहित्य में विद्रोह की थोड़ी चिनगारियाँ 'प्रेमाश्रम' के मनोहर और बलराज में मिलती हैं। किन्तु, ये दोनों नियम नहीं वरन् अपवाद हैं। नियम है होरी। 'कर्मभूमि' में पहाड़ी गाँव के जो किसान अमरकान्त के नेतृत्व में लगान के खिलाफ विद्रोह करते और लड़ते हैं, वे वस्तुतः सबके-सब रैदास हैं, चमार हैं। 'कर्मभूमि' की बुढ़िया सलोनी जब हाकिम सलीम द्वारा हंटरों से पीटी जाती है, तब वह उसके मुँह पर सरेआम थूक देती है। कोई अस्पृश्य ही इस तरह मुँह पर थूक सकती थी, कोई शूद्रा नहीं। यह घृणा 'कर्मभूमि' में कला के श्रेष्ठ द्रव्य में रूपान्तरित हो गयी है। क्या यह अब आकस्मिक बात है?''[32] जाहिर है कि नहीं। यह सब दलित आन्दोलनों का प्रभाव था। प्रेमचन्द अपने समय में चल रहे प्रत्येक मनुष्यधर्मी आन्दोलन के साथ थे। डॉ. राजेश मल्ल ने ठीक इंगित किया है, ''वे दलितों की मुक्ति के लिए की जानेवाली भाषणबाजी का मजाक उड़ाते हैं (राष्ट्रसेवक) और उसकी जगह पर उन कारणों की तलाश करते हैं, जो पाठक को परिवर्तन के लिए बेचैन करते हैं और दलित मुक्ति के पथ का निर्माण करते हैं।''[33]

दलित आन्दोलनों के साथ प्रेमचन्द के सम्बन्ध पर विचार करते हुए प्रख्यात मराठी चिन्तक राजा ढाले के निबन्ध 'प्रेमचन्द और दलित-साहित्य' की स्मृति स्वाभाविक है। राजा ढाले ने बहुत विस्तार के साथ सूक्ष्म दृष्टि का परिचय देते हुए प्रेमचन्द के साहित्य पर दलित दृष्टिकोण से विचार किया है। वे लिखते हैं, ''यहाँ हमें यह नहीं भूलना होगा कि प्रेमचन्द शुरू से ही डॉ. अम्बेडकर और उनके आन्दोलनों से परिचित थे।'' उन्होंने 1933 में 'हंस' के मुखपृष्ठ पर डॉ. अम्बेडकर की फोटो छापी थी। उसके नीचे उनकी विनम्रतापूर्ण टिप्पणी थी, ''आपने अनेक कष्ट झेलकर तथा सतत प्रयत्नशील रहकर बाधाओं पर विजय प्राप्त की और अपनी विद्वता से यह प्रमाणित कर दिया कि तथाकथित अछूतों को भगवान् किन्हीं असामान्य तत्त्वों से नहीं बनाता। आप विश्वविख्यात महापुरुषों में से एक हैं।''[34] राजा ढाले ने प्रेमचनद को उद्धृत करके प्रेमचन्द की प्रतिबद्धता को रेखांकित किया है।

यह निर्विवाद तथ्य है कि अपने समय में प्रेमचन्द हिन्दी के अकेले ऐसे लेखक थे, जिन्होंने दलित समाज की उन्नति और दलित आन्दोलनों की सफलता हेतु पर्याप्त लेखन किया। आज के दलित लेखकों की उनसे सहमति-असहमति का अपना महत्त्व है। ज्ञान की दुनिया में यह होता रहता है। हिन्दी में श्रेष्ठ दलित साहित्य के आने की कामना करते हुए राजा ढाले ने जो लिखा है, वह भी दलितों और दलित आन्दोलनों के साथ प्रेमचन्द के सम्बन्ध को ही रेखांकित करता है। उन्होंने लिखा है, ''हिन्दी साहित्य में भी वह दिन आएगा जब इस तरह के साहित्य

का जन्म होगा और वह इस शताब्दी के महान लेखक प्रेमचन्द के लिए महान श्रद्धांजलि होगी।''[35]

4. स्त्री आन्दोलन और प्रेमचन्द

प्रेमचन्द का लेखन समाज के उस प्रत्येक तबके के साथ प्रतिबद्धता से जुड़ा है, जो उपेक्षित और शोषित रहा है। यही कारण है कि उनके लेखन में स्त्रियों की समस्याएँ और उनका दमित जीवन बहुत सहानुभूति के साथ चित्रित है भारत जैसे देशों के विषय में कार्ल मार्क्स ने कभी कहा था, ''वहाँ स्त्रियाँ दोहरे शोषण की शिकार हैं। प्रेमचन्द के समय और सन्दर्भ में इस कथन की व्याख्या स्वयं सिद्ध है। उन दिनों भारतीय स्त्रियों का शोषण विदेशी निज़ाम और देशी सामन्तवाद—दोनों के द्वारा हो रहा था। प्रेमचन्द ने बहुत बारीकी से इस तथ्य को समझा था। 'सेवासदन' की सुमन और 'कर्मभूमि' की मुन्नी जैसे चरित्रों के माध्यम से उन्होंने स्त्री-शोषण के रूपों को प्रकाशित किया था।

प्रेमचन्द के समय में विधवा-विवाह का आन्दोलन चल रहा था। कहने की आवश्यकता नहीं कि उन दिनों भारतीय समाज में विधवाओं की बड़ी दयनीय दशा थी। एक तो स्त्री, वह भी विधवा। प्रेमचन्द विधवाओं की सामाजिक स्थिति से बहुत आहत थे। अमृतराय ने लिखा है, ''अन्याय का नाम लेते ही उनका ध्यान सबसे पहले स्त्री जाति पर जाता है। सबसे ज़्यादा जुल्म का शिकार कौन है! कहने के लिए औरत-मर्द बराबर हैं। सब ढकोसला है। औरत मर्द के पैर की जूती है। बाकी सब कलई-मुलम्मा हैं।''[36]

अक्टूबर, 1933 में अपनी एक टिप्पणी में प्रेमचन्द ने लिखा था, ''हिन्दू समाज के पतन का मुख्य कारण अगर जाति-भेद है तो विधवाओं की दुर्दशा भी उसका खास सबब है।''[37] अपनी एक टिप्पणी में वे आगे लिखते हैं, ''विधवाओं के साथ समाज ने बड़ा अन्याय किया, और अन्याय को पालकर कोई समाज सरसबा नहीं हो सकता।''[38] अपनी इस टिप्पणी में उन्होंने विधवाओं के जीवन स्तर में सुधार के लिए लाए गये 'शारदा बिल' का समर्थन किया है।

प्रेमचन्द ने अपनी कहानियों और उपन्यासों में भी विधवा-जीवन का मार्मिक चित्रण किया है। उनका चित्रण देखकर-पढ़कर कोई भी संवेदनशील व्यक्ति अपने समाज की हृदयहीनता से घृणा करने लगेगा। अपने आरम्भिक उपन्यास 'वरदान' में उन्होंने बृजरानी (विरजन) के माध्यम से विधवा जीवन की कहानी को प्रस्तुत किया है। बृजरानी का पति मर जाता है—ससुर मर जाता है। उसके सामने उसका पहाड़-सा जीवन खड़ा है, लेकिन सास को कुछ और ही लगता है। वह उसे ताना देती है। कहती है, ''तुम्हारे चिकने रूप ने मुझे ठग लिया। मैं क्या जानती

थी कि तुम्हारे चरण ऐसे अशुभ हैं।''[39] 'निर्मला' में मुंशी तोताराम की बहन विधवा है। वह अपनी बहन के विषय में टिप्पणी करते हैं, ''मैंने तो सोचा था कि विधवा है, अनाथ है, पाव भर आटा खाएगी, पड़ी रहेगी।''[40] मुंशी जी बहन को नौकरानी का स्थानापन्न समझते हैं। कहना न होगा कि जब सगे भाई की यह दृष्टि है तो अन्यों की क्या हो सकती है? 'गबन' में सरला रतन नामक चरित्र के साथ भी वैधव्य के बाद समाज का रवैया नकारात्मक ही है। उसका भतीजा मणिभूषण उसकी सारी सम्पत्ति पर कब्जा कर लेता है। प्रेमचन्द दिखाते हैं कि कितना अमानवीय है वह समाज जो पति के मरते ही पत्नी को दो कौड़ी का बना देता है। सरला रतन प्रश्न करती है, ''मगर ऐसा कानून बनाया किसने? क्या स्त्री इतनी नीच, इतनी तुच्छ, इतनी नगण्य है? क्यों? पति के जीवन में जो लोग मुँह ताकते थे, वे आज उसके भाग्य विधाता हो गये।''[41] देखने की बात है कि प्रेमचन्द हिन्दी के लेखकों में सम्भवतः अकेले ऐसे लेखक थे, जो ऐसे प्रश्न खड़ा कर रहे थे।

प्रेमचन्द ने अपनी कहानी 'बेटोंवाली विधवा' में पुत्रों द्वारा प्रताड़ित एक विधवा का मर्मस्पर्शी चित्रण किया है। उसके पति की मृत्यु के बाद उसके बेटे उससे कहते हैं, ''कानून यही है कि बाप के मरने के बाद जायदाद बेटों की हो जाती है। माँ का हक़ केवल रोटी-कपड़े का है।''[42] प्रेमचन्द भारतीय समाज की मानसिकता को ठीक से समझते थे। यह अकारण नहीं है कि उन्होंने विधवाओं का चित्रण करते हुए इस सच्चाई को भी पकड़ने की कोशिश की है कि तथाकथित सवर्ण जातियों की अपेक्षा दलितों-पिछड़ों में विधवाओं की स्थिति ठीक है। अपनी 'स्वामिनी' और 'आधार' जैसी कहानियों में प्रेमचन्द ने इस पहलू पर विचार किया है।

प्रेमचन्द विधवाओं की सामाजिक स्थिति का चित्रण भर करके नहीं रह जाते, बल्कि विधवाओं के पुनर्विवाह की भी बात सामने रखते हैं। 'प्रतिज्ञा' में पूर्णा का प्रसंग उनकी इस दृष्टि का परिचय देता है। उन्होंने अपनी कहानी 'नागपूजा' में समाज के घनघोर विरोध के बावजूद तिलोत्तमा के पिता द्वारा उसका पुनर्विवाह कराते दिखाता है। यहाँ हम देख सकते हैं कि ''प्रेमचन्द की सुधारवादी चेतना में वह सामाजिक आलोचना निहित है, जो खोखली मर्यादाओं पर टिके समाज की असलियत जानने के लिए प्रतिबद्ध है।''[43]

यहाँ विधवा विवाह के सम्बन्ध में गाँधीजी के विचारों को देखना उचित होगा। गाँधीजी के अनुसार, ''विधवा स्त्री को पुनर्विवाह का उतना ही अधिकार है, जितना पुरुष को। स्वेच्छा से वैधव्य हिन्दू समाज का अमूल्य वरदान है, परन्तु ऊपर से लादा हुआ वैधव्य अभिशाप है। और मुझे विश्वास है कि हिन्दू विधवाएँ जनमत के भय से मुक्त हों, तो वे बिना हिचक के पुनर्विवाह कर लेंगी।...यह

किसी संस्था का काम नहीं, बल्कि व्यक्तिगत सुधारकों तथा इन विधवाओं के सम्बन्धियों द्वारा किया जानेवाला कार्य है।...जब विधवाएँ बड़ी हो जाएँ और विवाह नहीं करना चाहें, तो उनको केवल यही कहना चाहिए कि वे कुमारी कन्याओं की ही तरह से विवाह करने को स्वतन्त्र हैं।''[44] कहना न होगा कि प्रेमचन्द गाँधीजी के इन विचारों से सहमत थे।

प्रेमचन्द के समय में हुए स्त्री आन्दोलनों में एक आन्दोलन वेश्याओं के सुधार से सम्बन्धित था। यह आन्दोलन वेश्याओं को पुनः सामाजिक जीवन में वापस लाने की कोशिश में लगा था। प्रेमचन्द ने खुलकर इस आन्दोलन का समर्थन किया। उनका मानना था कि कोई भी स्त्री बिना किसी मजबूरी के इस चक्र में नहीं फँसती। 'वेश्या' शीर्षक कहानी की नायिका माधुरी कहती है, ''नारी अपना वश रहते हुए कभी पैसों के लिए अपने को समर्पित नहीं करती। यदि वह ऐसा कर रही हो, तो समझ लो कि उसके लिए कोई आश्रय और कोई आधार नहीं है।''[45] माधुरी सामन्ती समाज में वेश्या होने के एक कारण की ओर संकेत करती है। प्रेमचन्द तक आते-आते भारतीय समाज में बदलाव आने लगा था। पूँजीवाद ने पैर पसारना शुरू कर दिया था। शायद इसलिए प्रेमचन्द वेश्या समाज का मूल कारण पुरुष की वासना के साथ अर्थ की लालसा भी बताते हैं।

'वेश्या' कहानी में माधुरी वेश्याओं की व्यथा को व्यक्त करते हुए सामाजिक ढोंग को भी उजागर करती है। वह कहती है, ''पुरुष इतना निर्लज्ज है कि उसकी दुरवस्था से अपनी वासना तृप्त करता है और इसके साथ ही इतना निर्दय कि उसके माथे पर पतिता का कलंक लगाकर उसे उसी दुरवस्था में मरते देखना चाहता है। क्या वह नारी नहीं है? क्या नारीत्व के पवित्र मन्दिर में उसका पवित्र स्थान नहीं है? लेकिन तुम उसे उस मन्दिर में घुसने नहीं देते। उसके स्पर्श से मन्दिर की प्रतिमा भ्रष्ट की जाएगी।''[46] समाज के तथाकथित इज्जतदारों पर टिप्पणी करते हुए 'सेवासदन' की नायिका सुमन कहती है, ''अँधेरे में जूठन खाने को तैयार, पर उजाले में निमन्त्रण भी स्वीकार नहीं।''[47]

'सेवासदन' में प्रेमचन्द ने वेश्या समस्या को ठीक ढंग से प्रस्तुत किया है। इस उपन्यास में कुँअर अनिरुद्ध सिंह के माध्यम से वे अपनी बात कहते हैं। उन्होंने लिखा है, ''हमें वेश्याओं को पतित समझने का कोई अधिकार नहीं है। हम रात-दिन जो रिश्वतें लेते हैं, सूद खाते हैं, दीनों का रक्त चूसते हैं, असहायों का गला काटते हैं, कदापि इस योग्य नहीं हैं कि समाज के किसी अंग को नीच या तुच्छ समझें। सबसे नीच हम हैं—सबसे पापी, दुराचारी, अन्यायी हम हैं, जो अपने को शिक्षित, सभ्य, उदार और सच्चा समझते हैं। हमारे शिक्षित भाइयों की ही बदौलत दालमण्डी आबाद है, चौक में चहल-पहल है, चकलों में रौनक है।

यह मीना बाजार हम लोगों ने ही सजाया है, ये चिड़िया हम लोगों ने ही फाँसी है। जिस समाज में अत्याचारी जमींदार, रिश्वती राज्य कर्मचारी, अन्यायी महाजन, स्वार्थी बन्धु आदर और सम्मान के पात्र हों, वहाँ दालमण्डी क्यों न आबाद हो।''[48] यह थी प्रेमचन्द की दृष्टि। डॉ. परमानन्द श्रीवास्तव ने ठीक ही लिखा है, ''प्रेमचन्द के लिए नारी मुक्ति की समस्या आर्थिक-सामाजिक मुक्ति की समस्या है।''[49]

'सेवासदन' में प्रेमचन्द ने सुधारवादी रुख का समर्थन किया है। उन दिनों इसका आन्दोलन भी चल रहा था। प्रेमचन्द ने इस आन्दोलन के प्रति आलोचनात्मक दृष्टि रखते हुए ही इसका समर्थन किया है। उन्होंने 'सेवासदन' में चित्रित किया है कि विट्ठलदास जैस लोग सुमन जैसी वेश्याओं का इसलिए उद्धार करना चाहते हैं, क्योंकि वह हिन्दू ब्राह्मणी है। इस चित्रण के माध्यम से प्रेमचन्द ने समाज की उस विडम्बना को रेखांकित किया है, जिसमें कुछ लोगों के लिए धर्म और जाति सबसे ऊपर होता है। उन्होंने दिखाया है कि बिट्ठलदास का दृष्टिकोण कितना एकांगी है, क्योंकि उसी काशी में मुसलमान वेश्याएँ भी हैं। ऐसे ही पद्मसिंह द्वारा प्रस्तुत समाधान भी आदर्शवादी एवं रूमानी है। फिर भी उपन्यास में प्रस्तुत समाधान एक अच्छे भविष्य की उम्मीद में दिए गये हैं। रामविलास शर्मा ने ठीक रेखांकित किया है, ''प्रेमचन्द समस्या का समाधान देना चाहते थे, लेकिन उचित समाधान देने में ऐतिहासिक सीमाएँ बाधक थीं। नारी की स्वाधीनता और सम्मान रक्षा का प्रश्न देश की आम सामाजिक और राजनीतिक समस्याओं का ही अंग है। नारी की स्वाधीनता देश में एक स्वाधीन जनतन्त्र कायम हुए बिना सम्भव नहीं है।''[50] कहना न होगा कि प्रेमचन्द ने अपनी रचनाओं के द्वारा स्त्री समाज को इस लांछित और घृणित दुनिया से बाहर लाने की हर सम्भव कोशिश की थी।

प्रेमचन्द के समय तक भारतीय समाज में किसी स्त्री का पति से अलग होकर रहना ठीक नहीं माना जाता था। कहा जाता था कि तलाक की अवधारणा भारतीय समाज के लिए उपयुक्त नहीं है। कहने का आशय यह कि भारतीय समाज स्त्री के शोषण पर मौन रहता है, लेकिन ज्यों ही वह मुक्त होना चाहती है, शोर मच जाता है। चूँकि प्रेमचन्द अपने समय में स्त्रियों की समस्या पर गम्भीरता से विचार करनेवाले लेखक थे, इसलिए उन्होंने लोक-मान्यताओं का जमकर खंडन किया।

प्रेमचन्द ने फरवरी, 1931 में अपनी एक टिप्पणी 'नारी जाति के अधिकार' में स्त्री-पुरुष में असमानता का भाव रखनेवाली मानसिकता पर दुख प्रकट करते हुए 'तलाक' को स्त्री-पुरुष दोनों पर समान रूप से लागू करने की बात की थी।

अपनी इसी टिप्पणी में उन्होंने यह भी लिखा था कि तलाक के समय स्त्री, पुरुष की आधी जायदाद पाए और यदि मारूसी जायदाद हो तो उसका एक अंश।

अपनी एक अन्य टिप्पणी 'सर हरिसिंह गौर का तलाक बिल' में इस समस्या का तीक्ष्ण विवेचन किया है। इसमें उन्होंने लिखा है, "स्त्री में रूप न हो, वह फूहड़ हो, उसके सन्तान न होती तो, या किसी कारणवश उससे असन्तुष्ट हो तो उसके लिए रास्ता साफ़ है। लेकिन पुरुषों में कितनी ही बुराइयाँ हों, स्त्री के लिए कहीं शरण नहीं। यह एकतरफा नीति बहुत दिन तक चली, लेकिन अब नहीं चल सकती।"[51] अपने इसी मन्तव्य को उन्होंने 'गोदान' में चित्रित भी किया है। 'गोदान' में राय साहब की बेटी मीनाक्षी अपने पति के दुराचरण की वजह से उससे तलाक लेती है और गुजारे का दावा भी करती है। प्रेमचन्द लिखते हैं, "गुजारे की मीनाक्षी को ज़रूरत न थी। मैके में वह बड़े आराम से रह सकती थी, लेकिन वह दिग्विजय सिंह के मुँह पर कालिख लगाकर यहाँ से जाना चाहती थी।"[52] कहना न होगा कि मीनाक्षी का यह कार्य बदलती स्त्री-चेतना का संकेत करता है और स्पष्ट करता है कि प्रेमचन्द अपने समय के स्त्री आन्दोलनों से गहरी सम्बद्धता रखे हुए थे।

प्रेमचन्द अपने समय के स्त्री-आन्दोलनों से कितने प्रभावित थे, इसका उदाहरण उनका यह कथन है, "ज्यों-ज्यों उनमें (स्त्रियों में) शिक्षा का प्रचार हो रहा है, उनमें अपनी वर्तमान अधोगति से विद्रोह उत्पन्न हो रहा है और तलाक की माँग उसी विद्रोह का सूचक है। पुरुषों को अब उनसे समझौता करना होगा। उनकी शिकायतों की अवहेलना करके अब वे अपने पुरुषत्व को कलंक से नहीं बचा सकते।"[53] यहाँ इसी प्रसंग पर 'कर्मभूमि' में नैना और सुखदा के संवाद को याद किया जा सकता है। इस संवाद में 'तलाक' के विषय में सुखदा कहती है, "तो इसमें बुराई क्या है? यह तो नहीं होता है कि पुरुष गुलछर्रे उड़ाए और स्त्री उसके नाम को रोती रहे?"[54] कहने का आशय यह कि प्रेमचन्द 'तलाक' को लेकर चल रहे विवाद में एक आलोचनात्मक दृष्टि के साथ हस्तक्षेप करते हैं।

प्रेमचन्द ने अपने साहित्य में 'बेमेल विवाह' को लेकर चल रहे आन्दोलन को भी पूरा महत्त्व दिया है। 'निर्मला', 'सेवासदन' और अपनी सर्वाधिक महत्त्वपूर्ण कृति 'गोदान' में भी उन्होंने इस समस्या को गम्भीरता से उठाया है। उन्हें बराबर लगता था कि पुरुषों ने स्त्रियों से उनका अधिकार छीन लिया है। अपनी एक टिप्पणी में उन्होंने साफ़-साफ़ लिखा था कि "पुरुषों ने नारी जाति के स्वत्वों का अपहरण करना शुरू किया, लेकिन राष्ट्रीयता और सद्‌बुद्धि की जो लहर इस समय आयी हुई है, वह इन तमाम भेदों को मिटा देगी और एक बार फिर हमारी माताएँ ऊँचे पद पर आरूढ़ होंगी जो उनका हक़ है।"[55]

प्रेमचन्द के स्त्री विषयक लेखन से यह बिलकुल साफ़ है कि उन्हें अपने समय में चल रहे स्त्री आन्दोलनों का पूरा ज्ञान था और वे इन आन्दोलनों की सफलता भी चाहते थे। यहाँ याद किया जा सकता है कि सन् 1909 ई. में इलाहाबाद से रामेश्वरी नेहरू ने 'स्त्री-दर्पण' नामक पत्रिका का प्रकाशन शुरू किया था। उन्हीं दिनों 'गृहलक्ष्मी' नामक महत्त्वपूर्ण पत्रिका निकल रही थी। अन्य पत्रिकाओं 'सरस्वती' और 'माधुरी' में भी स्त्री-चेतना से सम्बन्धित रचनाएँ छप रही थीं। 'स्त्री-दर्पण' और 'गृहलक्ष्मी' जैसी पत्रिकाएँ स्त्री समस्याओं पर सिर्फ लेख, कहानी या कविता छापकर चेतना जगाने और प्रचार करने तक सीमित न थीं। ये स्त्री-आन्दोलन और संगठन खड़ा करने में भी भूमिका अदा कर रही थीं।[56]

5. शुद्धिकरण और प्रेमचन्द

प्रेमचन्द का लेखन-समय कई दृष्टियों से संघर्ष का समय था। ऐतिहासिक तथ्य बताते हैं कि उन दिनों भरतीय समाज में धर्मान्तरण और शुद्धिकरण के आन्दोलन चल रहे थे। कहना न होगा कि इन दोनों कार्यों के पीछे साम्प्रदायिक और धार्मिक भावना का जोर था। हिन्दू 'शुद्धिकरण' के सिद्धान्त और मुसलमान 'तवलीग' के सिद्धान्त को अपनाकर अपने-अपने धर्म का प्रचार-प्रसार कर रहे थे। प्रेमचन्द ने इस आन्दोलन को ठीक ढंग से समझा और तटस्थ होकर इसका मूल्यांकन किया।

प्रेमचन्द ने अपनी रचनाओं में चित्रित किया कि हिन्दू समाज में धार्मिक अन्धविश्वास और कूपमण्डूकता के चलते छूत-अछूत की भावना बहुत प्रबल थी। यह भावना अशिक्षितों तक सीमित न होकर खूब पढ़े-लिखे लोगों तक में फैली हुई थी। सवर्ण समाज के लोग दलितों का हर प्रकार से दोहन कर रहे थे। उनके शोषण का आलम यह था कि जिन दलितों को वे अपने दरवाजे पर बैठने तक नहीं देते थे, उन्हीं की स्त्रियों के साथ, [illegible] की मजबूरी का फायदा उठाते हुए, दुराचार करते थे। ऐसे में दलितों के सामने मुसलमान या ईसाई हो जाने का एक विकल्प उपस्थित हुआ। इस नये परिवेश में उन्हें सम्मान और सुख की उम्मीद मिली, जिसके फलस्वरूप अनेक दलित धर्मान्तरण के जरिए मुसलमान या ईसाई हो गये।

अपनी 'मन्त्र' शीर्षक कहानी में प्रेमचन्द ने 'हिन्दू शुद्धिकरण' को विषय बनाया है। इसमें वे एक चित्र उपस्थित करते हुए कहते हैं, "खबर आयी कि मद्रास प्रान्त में तबलीगवालों ने तूफ़ान मचा रखा है। हिन्दुओं के गाँव-के-गाँव मुसलमान होते जाते हैं।...अगर हिन्दू सभा ने इस प्रवाह को रोकने की आयोजना न की, तो सारा प्रान्त हिन्दुओं से शून्य हो जाएगा—किसी शिखाधारी की सूरत तक न नज़र आएगी।"[57] इसके ठीक आगे वे दूसरा चित्र प्रस्तुत करते हैं, "हिन्दू

सभा में खलबली मच गयी। तुरन्त एक विशेष अधिवेशन हुआ और नेताओं के सामने यह समस्या उपस्थित की गयी। बहुत सोच-विचार के बाद निश्चय हुआ कि चौबेजी पर इस कार्य का भार रखा जाए। उनसे प्रार्थना की जाए कि वह तुरन्त मद्रास चले जाएँ और धर्म-विमुख बन्धुओं का उद्धार करें।''[58] यहाँ ध्यान देने की बात है कि उन दिनों स्वाधीनता की लड़ाई चल रही थी, लेकिन धर्म के ठेकेदारों को इससे कोई मतलब न था। वे अपने धन्धे में लगे थे।

अपनी एक दूसरी कहानी 'हिंसा परमो धर्मः' में भी प्रेमचन्द ने शुद्धिकरण और तबलीग पर करारा व्यंग्य किया है। उन्होंने दिखाया है कि किस प्रकार से अपने को धार्मिक कहनेवाले लोग अमानवीय बर्ताव करते हैं। इस कहानी का नायक 'जामिद' पहले हिन्दुओं द्वारा हिन्दू बनाया जाता है और फिर मुसलमानों द्वारा मुसलमान। उसकी समझ में कुछ नहीं आता है। वह दोनों ओर के कुकर्मों से घृणा करने लगता है। उसे लगता है कि वह उस परिवेश में जी नहीं पाएगा। प्रेमचन्द के शब्दों में, ''...उस अँधेरी रात के सन्नाटे में शहर के बाहर निकल गया। उस शहर की विषाक्त वायु में साँस लेते हुए उसका दम घुटता था। वह जल्द-से-जल्द शहर से भागकर गाँव में पहुँचना चाहता था, जहाँ मजहब का नाम सहानुभूति, प्रेम और सौहार्द था। धर्म और धार्मिक लोगों से उसे घृणा हो गयी थी।''[59] इन पंक्तियों के माध्यम से प्रेमचन्द इस प्रकार के धार्मिक आन्दोलनों का सच व्यक्त करते हैं। डॉ. इन्द्र मोहन कुमार सिन्हा ने इस प्रसंग पर लिखा है, ''जहाँ उच्च वर्ग के हिन्दुओं का अत्याचार जितना ही ज़्यादा था, वहाँ तबलीग का कार्य उतना ही अधिक हुआ।''[60] हम प्रेमचन्द की रचनाओं में इस सत्य को देख सकते हैं।

प्रेमचन्द ने अपनी कहानी 'खूब सफ़ेद' में ईसाई धर्म-प्रचारकों के द्वारा धर्मान्तरण की प्रक्रिया का चित्रण किया है। इस कहानी में शुद्धिकरण का प्रसंग नहीं है।

'शुद्धिकरण और प्रेमचन्द' पर विचार करते हुए 'गोदान' के सिलिया और मातादीन प्रसंग की स्मृति स्वाभाविक है। अपनी इस कथा में प्रेमचन्द ने हिन्दू-मुसलमान और ईसाई का प्रसंग न उठाकर एक ब्राह्मण और अछूत का प्रसंग उठाया है। उपन्यास का ब्राह्मण पात्र एक दलित स्त्री से प्रेम का स्वाँग करता है। वह गर्भवती हो जाती है। दलित समाज के लोग प्रस्ताव रखते हैं कि ब्राह्मण पात्र (मातादीन) इस दलित-स्त्री (सिलिया) को अपना ले। मातादीन अस्वीकार कर देता है। दलित आक्रोश में आकर उसके मुँह में हड्डी डाल देते हैं। उनके अनुसार, इससे उस ब्राह्मण का धर्म भ्रष्ट हो जाएगा। ब्राह्मण भी यही स्वीकार करते हैं

और मातादीन के शुद्धिकरण की व्यवस्था की जाती है। यद्यपि बाद में स्वयं मातादीन सिलिया को स्वीकार कर लेता है, लेकिन शुद्धिकरण के प्रसंग पर प्रेमचन्द सवर्ण हिन्दुओं पर गहरा व्यंग्य करते हैं। कैसी विडम्बना है कि जो व्यक्ति मुँह में हड्डी डालने अथवा दलित-स्त्री के संसर्ग में आने से अपवित्र हो गया हो, वही गाय का गोबर घोंटकर पवित्र हो जाता है। कहना न होगा कि प्रेमचन्द शुद्धिकरण आन्दोलन की तह तक जाकर उसका विश्लेषण प्रस्तुत करते हैं।

—जितेन्द्र श्रीवास्तव

सन्दर्भ

1. गाँधी वाङ्मय, 11 दिसम्बर, 1909—'इंडियन ओपीनियन'।
2. वही, 28 अक्टूबर, 1911
3. विविध प्रसंग, खण्ड-2, पृ. 352—'मनुष्यता का अकाल'।
4. गाँधी वाङ्मय, 9 नवम्बर, 1907, 'इंडियन ओपीनियन'।
5. विविध प्रसंग, खण्ड-2, पृ. 355, 'मनुष्यता का अकाल'।
6. वही, पृ. 368, 'मिर्जापुर कॉन्फ्रेन्स में एक महत्त्वपूर्ण प्रस्ताव'।
7. गाँधी वाङ्मय, 1907, 'इंडियन ओपीनियन'।
8. मानसरोवर, खण्ड-7, पृ. 128
9. विविध प्रसंग, भाग-3, पृ. 260, 'एक दुःखी बाप'।
10. विविध प्रसंग, भाग-2, पृ. 449, 'अछूतों को मन्दिर में जाने देना पाप है?'
11. विविध प्रसंग, भाग-2, पृ. 454—पावन तिथि।
12. कर्मभूमि, पृ. 115।
13. वही।
14. हरिजन, 6 मार्च, 1937।
15. विविध प्रसंग, भाग-3, पृ. 159—'हिन्दू समाज के बीभत्स दृश्य-2।'
16. विविध प्रसंग, भाग-3, पृ. 160—'हिन्दू समाज के बीभत्स दृश्य-3।'
17. हंस, मई, 1999, पृ. 33।
18. वीरभारत तलवार—किसान, राष्ट्रीय आन्दोलन और प्रेमचन्द, पृ. 260
19. मुरली मनोहर प्रसाद सिंह—प्रेमचन्द की रचनाओं पर किसान का प्रभाव, आँच-7 (अतिथि सम्पादक—प्रो. मैनेजर पाण्डेय), पृ. 25।
20. प्रेमाश्रम, पृ. 53।
21. किसान, राष्ट्रीय आन्दोलन और प्रेमचन्द, पृ. 258-59।
22. आँच-7, पृ. 25।
23. मुरली मनोहर प्रसाद सिंह, आँच-7, पृ. 27।
24. विविध प्रसंग, भाग-2, पृ. 482—'जमींदारों की जायदाद की रक्षा'।
25. डी.आर.निम अम्बेडकरः जीवन-दर्शन, पृ. 45-46।
26. धनंजय कीर—डॉ. अम्बेडकर—लाइफ एण्ड मिशन, पृ. 92।
27. वसन्त मून—डॉ. बाबा साहब अम्बेडकर, पृ. 81।

28. डी. आर. निम—अम्बेडकर : जीवन-दर्शन, पृ. 40-41।
29. प्रो. मैनेजर पाण्डेय—दलित साहित्य की अवधारणा और प्रेमचन्द (सं. सदानन्द शाही), पृ. 53।
30. डॉ. अम्बेडकर—जीवन-दर्शन, पृ. 40।
31. दलित साहित्य की अवधारणा और प्रेमचन्द, पृ. 56।
32. विजेन्द्र नारायण सिंह—दलित साहित्य की अवधारणा और प्रेमचन्द (सं. सदानन्द शाही), पृ. 77।
33. दलित साहित्य की अवधारणा और प्रेमचन्द, पृ. 131।
34. राजा ढाले—प्रेमचन्द और दलित साहित्य (निबन्ध), अनु.—शान्ता सिंह—'दलित साहित्य की अवधारणा और प्रेमचन्द' (सं.—सदानन्द शाही) पुस्तक में संकलित, पृ. 151।
35. वही, पृ. 155।
36. शिवकुमार मिश्र—प्रेमचन्द की प्रासंगिकता, पृ. 56।
37. विविध प्रसंग, भाग-3, पृ. 264।
38. वही।
39. वरदान, पृ. 475 (प्रेमचन्द रचनावली, भाग-1)
40. निर्मला, पृ. 38।
41. गबन, पृ. 303-304।
42. मानसरोवर, भाग-4, पृ. 84।
43. परमानन्द श्रीवास्तव, राजकमल प्रकाशन दिल्ली से प्रकाशित, सेवासदन की भूमिका, पृ. 6।
44. महात्मा गाँधी—स्रोत : प्रेमचन्दयुगीन भारतीय समाज (इन्द्र मोहन कुमार सिन्हा), पृ. 284।
45. मानसरोवर, भाग-2, पृ. 55।
46. मानसरोवर, भाग-7, पृ. 55।
47. सेवासदन, पृ. 295।
48. वही, पृ. 266-67।
49. वही (राज. प्र., दिल्ली) भूमिका, पृ. 12।
50. प्रेमचन्द और उनका युग, पृ. 39।
51. विविध प्रसंग, भाग-3, पृ. 257।
52. गोदान, पृ. 269।
53. विविध प्रसंग, भाग-3, पृ. 258।
54. कर्मभूमि, पृ. 113।
55. विविध प्रसंग, भाग-3, पृ. 249—'नारी जाति के अधिकार'।
56. डॉ. वीरभारत तलवार—राष्ट्रीय नवजागरण और साहित्य, पृ. 133।
57. मानसरोवर, खण्ड-5, पृ. 35।
58. वही।
59. मानसरोवर, खण्ड-5, पृ. 70।
60. प्रेमचन्दयुगीन भारतीय समाज, पृ. 417।

अनुक्रम

भारतीय समाज और दलित जीवन

महान तप

कल यरवदा जेल में वह महान तप आरम्भ होगा, जिसकी कल्पना से ही रोमांच हो जाता है। भारत की तपोभूमि में इससे पहले भी बड़ी-बड़ी कठिन तपस्याएँ की गयी हैं, लेकिन यह तपस्या अभूतपूर्व है। भारत के इतिहास में ही नहीं, संसार के इतिहास में भी इसकी नजीर न मिल सकेगी। ज्ञान के लिए, मोक्ष के लिए, प्रभुता के लिए, औरों ने भी तप किये हैं, पर राष्ट्र के लिए प्राणों की आहुति देने का संकल्प महात्मा गाँधी ही की कीर्ति है। वह सेवा-यज्ञ जो आज से चालीस वर्ष पहले दक्षिण अफ्रीका में हुआ था, उनकी यह पूर्णाहुति है। धन्य हो महात्मा! राष्ट्र की सेवा में तुम पहले ही अपना सर्वस्व अर्पण कर चुके थे। एक प्राण रह गया था। उसे भी राष्ट्र ही की भेंट करने जा रहे हो। एक समय दधीचि ने भी राष्ट्र की रक्षा के लिए प्राणों का बलिदान किया था। हम अपनी अश्रद्धा के कारण उसे पौराणिक कथा समझे बैठे थे, पर आज तुमने उस प्राचीन मर्यादा को, उस प्राचीन आदर्श को, उस प्राचीन आत्मोत्सर्ग को, पुनर्जीवित कर दिया। इस छल प्रपंच के युग में तुमने सतयुग की प्रतिष्ठा कर दी और दिखा दिया कि सतयुग और कलयुग केवल हमारे चित्त की वृत्तियाँ हैं। श्रीरंगा ऐयर ने केन्द्रीय व्यवस्थापक सभा में इस संकल्प की आलोचना करते हुए सत्य ही कहा है कि कृष्ण भगवान् ने भारत का उद्धार करने के लिए तुम्हारा रूप धारण किया है। राष्ट्र पर इस समय जो संकट पड़ा हुआ है उसका मोचन तुम्हारे सिवा और कौन कर सकता था। राष्ट्र की नौका साम्प्रदायिक भँवर में चक्कर खा रही थी। समस्त देश इन परिस्थितियों को देख-देखकर निराश और हताश हो रहा था। कहीं-कहीं साम्प्रदायिक द्वंद्व छिड़ गया था। राष्ट्र के मूल तत्त्व को हम भूल से गये थे। गोलमेज फिर कैसे हो, उसमें कौन जाय, आदि गौण बातों में पड़े हुए थे। उसी समय यरवदा जेल की ऊँची चारदीवारियों को भेदती, सरकार की गोपन नीति को चीरती हुई तुम्हारी इस भीषण प्रतिज्ञा की आवाज, आकाशवाणी-सी, हमारे कानों में आती है, और सारा देश सचेत हो जाता है, हमारी मुरझाई हुई आशा फिर लहलहा जाती है,

हमारी निर्जीव देह में जान पड़ जाती है। हमारी आँखें खुल जाती हैं और हम देखते हैं कि जब राष्ट्र ही न रहा तो स्वराज्य कहाँ, जब संस्कृति ही नहीं रही, तो हमारा अस्तित्व ही कहाँ। भारतीय राष्ट्र का आदर्श मानव शरीर है जिसके मुँह, हाथ, उदर और पाँव ये चार अंग हैं। इनमें से किसी एक अंग के विच्छेद हो जाने से देह अपंग या निर्जीव हो जाएगी। हमारे शूद्र भाई इस देहरूपी राष्ट्र के पाँव ही कट जाएँ, तो देह की क्या गति होगी? इस अंग विच्छेद की थोड़ी-बहुत पीड़ा प्रत्येक व्यक्ति को हुई। लेकिन वह हृदय, जो सारे भारत की चेतना का केन्द्र है, इस पीड़ा से विकल हो उठा। उसे मर्मान्तक वेदना हुई और उसका चीत्कार संयम और अहिंसा के बन्धनों को तोड़ता हुआ निकल आया। आज वह चीत्कार समस्त भारत के वायुमंडल में प्रतिध्वनित हो रहा है। वह नश्वर की भाँति हमारे दिलों में चुभा जा रहा है। हम सिर थामकर उस व्यथा का अनुभव करते हैं और अपनी परवशता पर रो उठते हैं। आज हम इतने बेकस और बेबस हैं, कि उस वेदना का अनुभव करके भी, हृदय से निकलनेवाली आह सुनकर भी, छुरी को पाँव से अलग नहीं कर सकते।

हम स्वीकार करते हैं, शूद्रों के साथ हमने अन्याय किया है। हमने उन्हें जी भर कर रौंदा, कुचला, दला। इस अन्याय ने जिस हृदय को सबसे ज्यादा दुःखी किया है, वह उसी तपस्वी का हृदय है, जिसने अपना जीवन दलित भाइयों की सेवा में ही व्यतीत किया है। आज वह देखता है कि उसके जीवन की सारी तपस्या, सारी साधना धूल में मिली जा रही है। उसने जिस राष्ट्रीय एकता का भवन खड़ा करने के लिए एक-एक कंकड़ जमा किया था, वह सारी सामग्री उसकी आँखों के सामने बिखरी-सी जा रही है। मानो उसका जीवन ही निरर्थक हुआ जा रहा है। क्या हमारी ब्रिटिश सरकार उस वेदना का अनुभव कर सकती है! उस अन्याय के प्रायश्चित्त-स्वरूप वह क्या कुछ न करता, वह यहाँ तक राजी है कि दलितों के लिए शिक्षा और जायदाद की कोई शर्त न रखो, उनके हरेक बालिग स्त्री-पुरुष को निर्वाचन का अधिकार दे दो, शेष हिन्दू समाज के लिए निर्वाचन की जितनी कड़ी शर्तें चाहे लगा दो, पर अछूतों को हिन्दुओं से अलग न करो, क्योंकि इससे केवल हिन्दू समाज की ही क्षति न होगी, अछूतों का अस्तित्व ही न रहेगा। हम कल्पना नहीं कर सकते कि इससे ज्यादा न्याय और क्या किया जा सकता है। ऐसा विचार उसी आत्मा से निकल सकता है, जो अछूतों की सेवा चिंतन करते-करते स्वयं अछूत भावना से ओत-प्रोत हो गया है। हम किसी ऐसे दूसरे व्यक्ति का नाम नहीं जानते, जिसने इस एकाग्रता, इस प्रेम और इस उत्साह से दलित-समाज की सेवा की हो। महात्मा उन व्यक्तियों में हैं, जो दलितों के उद्धार में ही हिन्दू जाति के उत्थान और उत्कर्ष का रहस्य छिपा हुआ

देखते हैं, जो हिन्दू जाति के मुख से अन्याय के इस कलंक को मिटा देने के लिए अपने प्राणों को भी अर्पण कर देने को तैयार हैं। जिस पौधे को उन्होंने तीस साल तक अपने रक्त से सींचा, उस पर कुठाराघात होते देखकर वह कैसे शान्त बैठे रहते! यदि उन्हें अणु-भर भी यह विश्वास होता कि इस विच्छेद से अछूतों के उपकार की सम्भावना है, तो सबसे पहले वह इनका स्वागत करते। सारा हिन्दू-समाज एक तरफ होता, पर वह अकेले, न्याय के बल पर, इस निर्णय को स्वीकार करते। राजनैतिक स्वार्थ का मार्ग यदि न्याय-मार्ग से पृथक हो, तो महात्मा जी वह अन्तिम व्यक्ति हैं, जो उस मार्ग पर अग्रसर होंगे। वह देखते हैं कि दलित समाज का जीवन हिन्दू जाति पर इतना अवलम्बित है कि सरकार चाहे कुबेर का कोष लेकर भी आये तो उनकी रक्षा नहीं कर सकती।

दलितों के उद्धार का सबसे उत्तम साधन है—सम्मिलित निर्वाचन। यही उनके उत्थान का मूलमन्त्र है। उनमें शिक्षा-प्रचार होते अभी बहुत दिन लगेंगे। उनमें कालगति से जो कुसंस्कार आ गये हैं उनका परिशोध भी समय लेगा। हिन्दू जाति में न्याय भावना को व्यापक रूप से जगाने में भी बहुत दिन लगेंगे। शिक्षित-समाज में तो ऊँच-नीच का भाव बहुत दूर हो चुका है। हाँ, उसने अभी क्रियात्मक रूप धारण नहीं किया, लेकिन अनुदारों की संख्या अभी बहुत ज्यादा है। ग्रामों में अभी इस उदारता का, इस जागृति का, प्रकाश नहीं फैलने पाया। ये सभी साधन छः मासवाले रास्ते हैं। निकटतम मार्ग संयुक्त निर्वाचन ही है, जिसके सम्मुख यह भेदभाव, यह भिन्नता, यह गर्व ठहर नहीं सकता। उस निर्वाचन में ऐसे अनुदार व्यक्तियों के लिए स्थान ही नहीं है, जिन पर दलित समाज को विश्वास न हो, जिनसे इसे भलाई की आशा न हो, जिन्हें वह अपना सच्चा हितू न समझता हो। हमें विश्वास है कि अगर आज किसी गाँव के चमार या पासी या मुसहर से जिज्ञासा की जाय, तो वह हिन्दू जाति से अलग होना कदापि स्वीकार न करेगा। वह हिन्दू समाज में रहकर अपना उद्धार चाहता है, हिन्दू समाज से निकलकर नहीं। हमारे देखते-देखते कितनी ही जातियाँ, जो पहले नीच और दलित थीं, आज अपने संस्कारों को बदलकर जनेऊ पहन रही हैं, अपने आचरण सुधार रही हैं, अखाद्य पदार्थों का परित्याग कर रही हैं। उन्हें ज्ञात हुआ कि उनका यह पतन अज्ञान और आचरण-हीनता ही के हाथों हुआ। यह क्रिया बड़े जोरों के साथ जारी है। वे अब सन्ध्या करते हैं, श्राद्ध करते हैं, धर्म-ग्रन्थों का अध्ययन करते हैं। वे अब अपनी सेवा का गौरव समझने लगे हैं। उनके देवता वही हैं जो सब हिन्दुओं के हैं। आदर्श वही हैं, विश्वास वही हैं, दृष्टिकोण वही हैं। हिन्दुत्व उनके अणु-अणु में भरा हुआ है। उसे आप उनके अन्दर से निकाल नहीं सकते। एक समय था, जब कुलीनता के मतवाले हिन्दुओं को दलितों की बिलकुल परवाह नहीं थी।

वे ईसाई हो जायँ, मुसलमान हो जायँ, हिन्दुओं के कान पर जूँ नहीं रेंगती थी, पर अब हिन्दू समाज इतना चेतना-शून्य नहीं है। दलितों के लिए अब मन्दिर खुलते जा रहे हैं, कुओं पर भी वह रोक-टोक नहीं रही। कट्टरता बड़ा कष्ट-साध्य रोग है, लेकिन लक्षण कह रहे हैं कि उसका आसन उखड़ गया है। पृथक् निर्वाचन से इस स्वाभाविक क्रिया के मार्ग में ऐसी बाधा आ खड़ी हुई है, जो रोग और रोगी दोनों ही का अन्त कर देगी। इसी बाधा को हरने के लिए महात्मा जी अपने प्राणों को भेंट चढ़ाने जा रहे हैं।

अब हमारा क्या कर्तव्य है? यों ही भाग्य को रोकर, अपने कुदिन को कोसकर, बैठे रहेंगे? कदापि नहीं। महात्मा जी के इस वज्रनिर्घोष ने सारे देश में तहलका डाल दिया है। घर-घर में यही चरचा है। समस्त देश एक स्वर से कह रहा है—हम राष्ट्र की इस आशा को अपने जन्म-जन्मान्तरों के तप के इस वरदान को, अपने प्राणों के प्राण गाँधी को, यों बलिवेदी पर न चढ़ने देंगे। हम अपने उन अछूत भाइयों को जो हमसे रूठ गये हैं, मनाएँगे, उनके चरणों पर गिरकर मनाएँगे। हमें विश्वास है डॉ. अम्बेडकर और मि. श्रीनिवासन भी राष्ट्र की इस याचना को अस्वीकार न करेंगे। हमारी नौका को भँवर से निकालकर पार ले जानेवाला अकेला गाँधी है। उसी में वह सामर्थ्य है, वह देवत्व है, वह ऐश्वर्य है। हमें विश्वास है यह ईश्वर के दरबार से हमारे उद्धार का बीड़ा लेकर आया है, हम उस दिन का इन्तजार कर रहे हैं, जब वह स्वाधीनता का वरदान लाकर जीर्ण और निराश माता को भेंट करेगा। क्या सामर्थ्यवान गाँधी भी विधि की इस गति को टाल सकता है? नहीं, नहीं, नहीं!!

19 दिसम्बर, 1932

हमारा कर्तव्य

समझौता हो गया। छूत-अछूत सभी नेताओं ने मिलकर बम्बई के गवर्नर के पास अपना लिखित समझौता पेश कर दिया था और ब्रिटिश और भारत सरकार के पास भी सूचना कर दी गयी थी, आज ता. 26-9-32 का तार है कि भारत मन्त्री ने उसे मंजूर कर लिया।

उस महान आत्मा के अनशन व्रत ने, उसकी तपस्या ने, केवल सात दिनों में यह दिखला दिया कि वास्तव में तपस्या कितनी बलवती होती है। उस महान आत्मा की तपस्या ने, ब्रिटेन के महान् राजनीतिज्ञों के द्वारा तैयार की हुई उस सुदृढ़ दीवार को, जो हिन्दू अछूतों को अलग करने के लिए बड़े गहन कौटिल्य के सीमेंट से तैयार की गयी थी, विध्वस्त कर दिया। छूत-अछूत का वह मसला, जो आगामी गृह-युद्ध का संकेत कर रहा था, और इसी के लिए ब्रिटिश राजनीतिज्ञों ने जिसकी नींव को दृढ़ किया था, हल हो गया।

महात्मा जी की तपस्या ने हमारे एक महान् संकट को अवश्य ही टाल दिया है, किन्तु हमने अभी अपने कर्तव्य का पूरा निर्वाह नहीं किया। अभी हमारे सामने बहुत बड़ा कर्तव्य खड़ा हुआ है। हमारा कर्तव्य तभी पूरा होगा, जब हम देश के वर्तमान अछूतपन को जड़मूल से नष्ट कर देंगे। यदि हम उस पवित्रात्मा से, महान् आत्मा से सच्ची श्रद्धा रखते हैं, भक्ति रखते हैं, स्नेह करते हैं, तो हमारा प्रधान कर्तव्य है कि हम उसके हृदय की माँगों को पूरा करें। इन सात दिनों के समय में जो कुछ हुआ, वह अभूतपूर्व है। सारे संसार में यह सात दिन भुलाए नहीं जा सकते—ऐतिहासिक हो गये। विश्व का कोई भाग ऐसा नहीं, जहाँ इन सात दिनों के प्रतिपल में, प्रतिक्षण में आत्मा की सच्ची श्रद्धा, सच्ची सहानुभूति महात्मा जी को न अर्पित की गयी हो।

पर, अभी कुछ ऐसे प्राणी भी इस संसार में हैं जिन्हें, अपने स्वार्थ के आगे कुछ नहीं सूझता। महात्मा जी के प्राण भले ही चले जायँ, उन्हें परवाह नहीं।

वे अपना ढकोसला नहीं छोड़ेंगे, वे अपना धर्म जरूर बचाएँगे और मन्दिरों में अछूतों को नहीं प्रवेश करने देंगे।

पर धर्म वस्तुतः बुद्धिग्राह्य नहीं, हृदयग्राही है। हमसे अलग वह कोई चीज नहीं है। वह एक ऐसी चीज है कि जो अपने हृदय में से ही विकसित होती हैं वह सदा हमारे अन्तर में ही है।

यह युग, प्रकाश का युग है। इसमें अब अन्धकार नहीं रह सकता। वह दिन अब नहीं रहे, जब धर्म के नाम पर लोग काशीकरवट लिया करते थे। अब विवश होकर युग-धर्म के अनुसार ही चलना पड़ेगा। अछूत इसीलिए तो अछूत हैं कि वे जन-समाज के स्वास्थ्य के लिए उनके घरों की सफाई करते हैं, उनकी सेवा करते हैं। उनमें और अछूतों में क्या अन्तर है? जैसे वे मनुष्य हैं, अछूत भी हैं। यदि अछूत उनके घर का मल-मूत्र साफ करते हैं, तो वे भी तो इस कार्य से वंचित नहीं हैं। वे भी तो रोज सुबह सबसे पहले यही काम करते हैं। बाल-बच्चों के घर में प्रायः सभी वर्ण की स्त्रियों को यह काम करना पड़ता है। रोग-काल में भी मल-मूत्र उठाने का काम प्रायः घर के ही लोग करते हैं। उस समय कोई मेहतर, घर में से मैला उठाने नहीं आता! फिर क्यों इस दुर्विचार का पोषण किया जाता है, क्यों अपने ही हाथों अपने पैरों को काटने की कोशिश की जाती है? क्या कोई भी वर्णाश्रम अपने हृदय पर हाथ रखकर कह सकता है कि वास्तव में यह छुआछूत उन्हें धर्म की दृष्टि से उचित प्रतीत होती है? नहीं, कोई भी यह नहीं कह सकता। एक स्वार्थ ही इसका कारण है। पर याद रहे, यह इस समय का स्वार्थ, वर्ष दो वर्ष चाहे उनकी छाती को ठंडा भले ही कर दे, पर आगे वह उनकी पुरानी से पुरानी, दृढ़ से दृढ़ बुनियाद को भी उखाड़ फेंकेगा। वे स्वार्थ के जिस सुन्दर खिलौने से बच्चों की तरह खिलवाड़ कर रहे हैं, वह असल में डाइनामाइट है, जो उनकी सात पुश्तों को ध्वस्त कर डालेगा। इसे दूर फेंक देना चाहिए, वर्ना फिर पश्चाताप का भी समय न मिलेगा। स्वार्थ त्याग को हिन्दू धर्म में एक यज्ञ कहा गया है।

ऐसे समय में देश के उदारचेता, बुद्धिमान युवक समाज को अधीर नहीं हो जाना चाहिए, क्रोध में नहीं भर जाना चाहिए। ऐसे समय महात्मा जी का सत्याग्रह-मन्त्र ही एक उपाय है। क्रोध में तो हिंसा और उसका परिणाम सर्वदा हानिकारक है। ऐसे समय देश के प्रत्येक समझदार व्यक्ति का कर्तव्य है कि वह पहले अपने आपके हृदय से ऊँच-नीच और छुआछूत के भावों को विनष्ट कर दे।

एक-एक व्यक्ति यदि सचमुच अपने हृदय से अछूतपन की थोथी भावना निकाल देगा, तो वह सबके हृदय से धीरे-धीरे दूर हो जाएगी—इसमें सन्देह नहीं।

प्रत्येक युवक को महात्मा जी का यह वचन याद रखना चाहिए जो एक बार उन्होंने कहा था कि—

"अस्पृश्यता या छुआछूत अगर हिन्दू-धर्म में हो, तो मुझे कहना पड़ेगा कि उसमें शैतानियत भरी हुई है, धर्म नहीं। पर मेरा दृढ़ विश्वास है कि हिन्दू धर्म में यह सबकुछ नहीं है। जब तक प्रत्येक हिन्दू अपने चमार, भंगी आदि भाइयों को भी अपने सगे भाई की तरह हिन्दू न समझेंगे, तब तक मैं उन्हें हिन्दू ही नहीं समझूँगा। मनुष्य तिरस्कार और दया इन दो चीजों के साथ नहीं रह सकता।"

देश के प्रत्येक समझदार व्यक्ति का कर्तव्य इस समय यही है कि महात्मा जी के इन वचनों पर ध्यान दे, विचार करे और उन्हें आचरण में लाकर देश के और धर्म के कलंक को दूर करे।

उन्हें महात्मा जी की यह बात भी ध्यान में रखनी चाहिए कि जब तक हिन्दू-धर्म पर से यह कलंक दूर न करके उसी से चिपटे रहेंगे, तब तक वे कभी स्वतन्त्र नहीं हो सकते।

इस समय देश के प्रत्येक सच्चे हिन्दू का ध्यान केवल इसी ओर होना चाहिए कि वह जी-जान से महात्मा जी की मनोकामना की पूर्ति में अपनी शक्ति लगा दें। ऐसा न हो कि उनकी उदासीनता से महात्मा जी को फिर अपने पर संकट उपस्थित करना पड़े!

26 सितम्बर, 1932

काशी का कलंक

महात्मा गाँधी के अनशन-व्रत से देश-भर में अस्पृश्योद्धार का जो व्यापक आन्दोलन चल रहा है, उसमें देश के सभी सनातनधर्मी शामिल हैं। अगर यह कहा जाय कि इस नवीन जाग्रत आन्दोलन में जो शरीक हो रहे हैं या हुए हैं, वे सनातनधर्मी नहीं हैं, तो फिर यह मानना पड़ेगा कि सनातनधर्मी जनता इस देश में है ही नहीं, अथवा यदि है भी, तो उँगलियों पर गिन लेने योग्य, क्योंकि गाँव-गाँव और नगर-नगर में जो सभाएँ हो रही हैं या हुई हैं, उसमें समस्त स्थानीय जनता ने एक स्वर में अछूतों को हृदय से अपनाने की घोषणा की है। यदि ऐसा करनेवाले सबके-सब आर्यसमाजी या काँग्रेसधर्मी हैं, तो निश्चय ही यह मानना पड़ेगा कि देश में अब सनातनधर्मी का हिमायती एक व्यक्ति भी नहीं है, किन्तु वास्तव में बात ऐसी नहीं है, सनातनधर्म आज भी जीवित है और आगे भी अनन्तकाल तक रहेगा। किसी के नष्ट करने से न तो वह नष्ट होगा, और न किसी के रक्षा करने से वह सुरक्षित रहेगा। ईश्वर ही उसकी रक्षा करता है, करेगा और कर सकता है। फिर भी काशी के कुछ मुट्ठी-भर पंडित यह चाहते हैं कि सनातनधर्म की रक्षा का काम ईश्वर से जबर्दस्ती छीन लिया जाय। बाहर की जनता समझती है कि काशी में कुछ बड़े धर्मनिष्ठ और शास्त्र-पारंगत तथा पुण्यात्मा पंडित मौजूद हैं, जो हिन्दू धर्म के तत्त्व और रहस्य को सूक्ष्म रीति से समझते हैं तथा संकट के समय उसकी रक्षा का उपाय करते हैं, किन्तु काशी की जनता खूब जानती है कि सनातनधर्मी और वर्णाश्रम धर्म के नाम पर होहल्ला मचाकर देश की सामाजिक जागृति और राजनीति के प्रगति में बाधा पहुँचाने और रोड़े अटकानेवाले काशीस्थ पंडित कितने पानी में हैं। काशी की जनता यह भी देखती है कि वे लोग शास्त्रों के बल पर कहाँ तक हिन्दू जाति की रक्षा कर रहे हैं—विधर्मियों के आक्रमणों से कहाँ तक हिन्दुओं को बचा रहे हैं और राजनीतिक संग्राम में हिन्दुओं के अधिकारों का किस प्रकार संरक्षण कर रहे हैं। हिन्दू महासभा के विरोध में जो ब्राह्मण-सम्मेलन काशी में किया गया था, और जो अभी तक हिन्दू-महासभा तथा काँग्रेस की जड़ में

कुल्हाड़ी मारने में ही तत्पर हो रहा है, वह भी काशी के एक पंडित के दिमाग की उपज है, और सारे भारत के हिन्दू, आँखें फाड़कर यह देख रहे हैं कि हिन्दू-महासभा द्वारा हिन्दुओं का अधिक हित हो रहा है, या ब्राह्मण महासम्मेलन द्वारा। प्रस्तुत आन्दोलन द्वारा ही यह सिद्ध हो गया कि हिन्दू जाति की रक्षा करने में कौन अधिक समर्थ है—काँग्रेस दल या शास्त्र-व्यवसायीदल? सरकारी साम्प्रदायिक निर्णय द्वारा करोड़ों अछूत भाई हिन्दू समाज से अलग हुए जा रहे थे—उन्हें वर्णाश्रम-स्वराज्य संघ ने क्यों नहीं बचा लिया? और जब महात्मा जी अपने प्राणों का बलिदान करके उन्हें बचाने लगे, तो वर्णाश्रम और सनातनी कहे जानेवाले काशी के कुछ शास्त्रोपजीवी पंडितों ने महात्मा जी को सार्वजनिक सभा में अपशब्द तक कह डाले, किन्तु सूर्य पर थूकनेवाले की दुर्दशा सबको मालूम है। जिस काशी में धर्म की ध्वजा गाड़कर शास्त्र की वेदी पर पंडित लोग बैठे हुए हैं, उसी काशी में उनकी बात सुननेवाला कोई नहीं है। उनके साथ कितनी जनता है और महात्मा जी के आन्दोलन में कितनी जनता है, यह बिलकुल स्पष्ट है। फिर भी न जाने दो-चार पंडितों को कैसी सनक सवार है कि आँधी में गुड्डी उड़ाने का उपहासास्पद दुस्साहस कर बैठते हैं। संयुक्तप्रान्त का दौरा करते समय महात्मा गाँधी विगत वर्ष काशी में आये, तो केवल शास्त्राभिमानी पंडितों ने ही काले झंडे दिखाकर उनका स्वागत किया था। उस समय महात्मा गाँधी के स्वागत और व्याख्यान में कितने काशी निवासी एकत्र थे, तथा काले झण्डों के साथ कितने थे। यह देखने से ही स्पष्ट हो गया कि काशी में ही इन धर्मप्राण पंडितों के सच्चे साथी कितने हैं। महात्मा जी समस्त भारत में घूम आए थे, पर कहीं भी किसी सनातनी ने उनका अपमान नहीं किया था, किन्तु काशी ने अपने सिर कलंक ले ही लिया। इससे यही सिद्ध हुआ कि भारत में और कहीं कोई सनातनी है ही नहीं, केवल काशी में ही मुट्ठीभर बच गये हैं। अगर काशी के सिवा अन्यत्र भी कहीं सनातनियों का नाम-निशान होता, तो अन्य स्थानों में भी महात्मा जी को काले झंडे दिखाए जाते, या अपशब्द कहे जाते, किन्तु दुःख है कि सनातनधर्म के साथ-साथ काशी को भी कलंकित करनेवाले थोड़े-से हठधर्मी बनारस में बच गए हैं, जो व्यर्थ ही दूसरे का शकुन बिगाड़ने के लिए अपनी नाक कटा रहे हैं। वे लोग "दूलह की चाची" और "अपने मुँह मियाँ मिट्ठू" बनना चाहते हैं, पर नहीं बन पाते, और कभी बन भी नहीं सकते। इस समय जबकि सारे देश में अछूतों को अपनाने और गले लगाने की धूम मच रही है, तब वे लोग मुश्किल से सिर्फ़ काशी में ही कुल सौ के करीब हैं—नक्कारखाने में तूती की आवाज सुनाने का हौसला बाँधे हुए हैं। वे अछूतों को हिन्दू मानते हैं—बन्धु और वात्सल्यास्पद कहते हैं, मगर कोई सामाजिक अधिकार नहीं देना चाहते, सदा उन्हें दलित और पतित ही

बनाये रखना चाहते हैं। तो, अब उपाय यह है कि जो हिन्दू महात्मा गाँधी को हिन्दू-जाति का सच्चा रक्षक समझता है, वह इस बात की प्रतिज्ञा करे कि महात्मा जी के प्राण प्यारे अछूत जिस मन्दिर में न जाने पावेंगे, उसमें हम भी नहीं जाएँगे, और जो शास्त्राभिमानी पंडित या पुजारी या पंडा महात्मा जी को धर्मद्रोही और अहिन्दू कहेगा, उसको किसी प्रकार का दान या पूजा-चढ़ावा नहीं देंगे। जो लोग अछूतों को हिन्दू बनाए रखते हैं और इसी में हिन्दू जाति का सच्चा कल्याण समझते हैं, वे प्रतिज्ञापूर्वक अछूतों के लिए अलग मन्दिर बनावें और धर्मप्राण पंडे पुजारियों को पैसे और दक्षिणा देकर अपमान खरीदने से बचे रहें। यदि विश्वनाथ जी का मन्दिर अछूतों के लिए नहीं खुलेगा, तो अछूत भाइयों के साथ मिलकर करोड़ों हिन्दू इसी काशी में दूसरे मन्दिर का निर्माण करके उसी में विश्वनाथ का आवाहन-पूजन करेंगे, क्योंकि विश्वनाथ किसी एक जाति या सम्प्रदाय के देवता नहीं हैं, वह तो प्राणी मात्र के पिता और नाथ हैं, उन पर सबका दखल-कब्जा बराबर-बराबर है। अब ऐसे ही आन्दोलन की जरूरत है और यह शीघ्र ही उठनेवाला भी है। अब शास्त्रीलोग अपना शास्त्र लेकर बैठे रहें और केवल उन्हीं से दान-दक्षिणा पानी की आशा रखें, जो उनकी बातें मानें। बस। आगे की बात अगली बार फिर।

5 अक्टूबर, 1932

हरिजनों के मन्दिर-प्रवेश का प्रश्न

एक बार फिर सरकार ने अपने व्यवहार से भारत को एहसान के नीचे दबा दिया है। पूना के समझौते को तत्काल स्वीकार करके उसने सहृदयता का परिचय दिया था और ठीक उस वक्त, जब उसने मौलाना शौकत अली को महात्मा गाँधी से यरवदा में मिलने का अवसर न देकर समस्त भारत में असंतोष और निराशा का वातावरण उत्पन्न कर दिया था, हरिजनों के उद्धार के विषय में महात्मा जी को लिखा-पढ़ी करने और मिलने-मिलाने की अनुमति देकर फिर देश को अनुगृहीत किया है। इतने महान और युगान्तरकारी आन्दोलन को जेल के अन्दर से संचालित करना कठिन है, यह सभी समझ सकते हैं। और यदि सरकार ने इस अवसर पर महात्मा जी को मुक्त कर दिया होता, तो कहना ही क्या था, लेकिन सरकार ने जो कुछ भी किया है, उसके लिए हम उनके कृतज्ञ हैं।

महात्मा जी ने सबसे पहले हरिजनों के मन्दिर-प्रवेश का प्रश्न लिया है। भारत धर्म-प्रधान राष्ट्र है और आज भी धर्म हमारे जीवन का सबसे महत्त्वपूर्ण भाग है। पढ़े-लिखे समाज में चाहे धर्म केवल ढोंग रह गया हो और मन्दिर प्रवेश को चाहे वे एक व्यर्थ-सी बात समझते हों, और वास्तव में समझते भी हैं, लेकिन जनता अभी तक अपने धर्म को और अपने देवताओं को प्राणों से चिपटाये हुए हैं। उत्तर भारत में तो कुछ देवता ऐसे भी हैं, जिनके पुरोहित हमारे हरिजन भाई ही हैं। जिस गाँव में चले जाइये, चमारों या भरों के पुरवे में आपको किसी नीम के वृक्ष के नीचे दस-बीस मिट्टी के बड़े-बड़े हाथी, लाल रँगे हुए एक जगह रखे हुए मिलेंगे। वहीं एक त्रिशूल भी गड़ा होगा। एक लाल पताका भी पेड़ से बँधी होगी। यह देवी का स्थान है, इस चबूतरे का पुजारी कोई चमार, पासी या भर होगा। वर्णवाले हिन्दू स्त्री-पुरुष बड़ी श्रद्धा से देवी के चबूतरे पर जाते हैं, वहाँ बताशे, धूप-दीप, फूल माला चढ़ाते हैं। जब वर्णवाले हिन्दुओं को हरिजनों के इस देवता की उपासना करने और हरिजनों को अपना पुरोहित बनाने में शर्म

नहीं आती—घृणा का भाव तो वहाँ किसी तरह आ ही नहीं सकता—तो हरिजनों के हिन्दू-मन्दिरों में आ जाने से कौन-सा अधर्म हो जाएगा। डॉ. अम्बेडकर ने महात्माजी से इस विषय में मतभेद प्रकट करते हुए कहा है कि अछूतों को मन्दिर प्रवेश की उतनी जरूरत नहीं है, जितनी इस बात की कि साधारण हिन्दू उनसे सज्जनता का व्यवहार करें, और उन्हें अपने बराबर समझें, लेकिन इसका प्रमाण क्या होगा कि हिन्दू किसी अछूत से सज्जनता का व्यवहार कर रहा है। खाने-पीने की सम्मिलित प्रथा अभी तक हिन्दुओं में ही नहीं है, अछूतों के साथ कैसे हो सकती है। शहरों के दो-चार सौ आदमियों के अछूतों के साथ भोजन कर लेने से यह समस्या हल नहीं हो सकती। शादी-ब्याह इससे भी कठिन प्रश्न है। जब एक ही जाति की भिन्न-भिन्न शाखाओं में परस्पर शादी नही होती, तो अछूतों के साथ यह सम्बन्ध कैसे हो सकता है। ये दोनों ही प्रश्न अभी बहुत दिनों में हल होंगे, अर्थात्—उस समय जब हिन्दू जाति भेदभाव को मिटा देगी। इस तरह की कैदें ईसाइयों और मुसलमानों में भी हैं। खानदानी मुसलमान कभी अपनी लड़की का विवाह किसी नीचे मुसलमान—धुने, जुलाहे, मेहतर—से करना पसन्द न करेगा, चाहे वह कितना ही शिक्षित और धनी क्यों न हो। ईसाइयों में भी कुछ इसी तरह की पाबन्दियाँ हैं। हाँ, इन दोनों मतों के अनुयायी, चाहे किसी श्रेणी या पेशे के हों, बिना किसी रोक-टोक के मसज़िदों और गिरजाघरों में जा सकते हैं। भाईचारे या बराबरी का यही एक व्यवहार है, जो अन्य धर्मों में प्रचलित है और इसी एक व्यवहार के हिन्दू-धर्म में न होने से इस धर्म के माथे पर इतना बड़ा कलंक लगा हुआ है।

हिन्दू समाज में इस विषमता के सब से बड़े समर्थक हमारे शास्त्रोपजीवी लोग हैं। वे अभी तक यही पुरानी लकीर पीटते जाते हैं कि स्मृतियों में कहीं इस तरह की समानता का प्रमाण नहीं मिलता। लेकिन जब वेदान्त कहता है कि सम्पूर्ण ब्रह्माण्ड में केवल एक आत्मा व्याप्त है, तो उसमें इस तरह का भेद कहाँ से आ सकता है। यह ठीक है कि हरिजनों में अभी बहुत-सी गन्दी आदते हैं—शराब पीते हैं, गन्दा काम करते हैं और मुरदा खाते हैं, लेकिन हिन्दू समाज ज्योंही उन्हें अपने अन्दर स्थान देगा, ये सारी बुराइयाँ आप-ही-आप मिट जाएँगी। अभी तो हरिजन समझता है कि वह हिन्दुओं से पृथक है, वह जो चाहे करे, जो चाहे खावे, इसका उसके ऊपर कोई असर नहीं पड़ता, लेकिन जब वह हिन्दुओं में आदर का स्थान पा जाएगा, तो स्वभावतः उसकी रक्षा करेगा।

अतएव मन्दिर प्रवेश का प्रश्न इस समय सबसे महत्त्वपूर्ण प्रश्न है और उसका हल जल्द न किया गया, तो भय है कि महात्मा जी फिर न अनशन शुरू

कर दे, क्योंकि महात्मा जी के लिए इस विश्वास को दिल से निकाल डालना असम्भव है कि हिन्दू-शास्त्रों ने अस्पृश्यता का आरोपण किया है। अगर यही हिन्दू-धर्म है जिसका अब उन्हें परिचय मिल रहा है, तो जैसा उन्होंने स्वयं कहा है, उनके लिए जीवन में कोई आनन्द न रह जाएगा। देखें, हिन्दू-समाज इसका क्या जवाब देता है।

14 नवम्बर, 1932

अछूतों को मन्दिरों में जाने देना पाप है

'वाइसराय की सेवा में डेपुटेशन जा रहा है,'
वर्णाश्रम स्वराज्य-संघ का आन्दोलन

मंगल के दिन सन्ध्या-समय काशी की गर्द-भरी सड़कों पर वह दृश्य देखने में आया, जो हिन्दू-जाति के लिए लज्जाजनक ही नहीं, हास्यास्पद भी था। दो-ढाई सौ संस्कृत-पाठशालाओं के छात्र हाथों में लाल झण्डे लिये, एक जुलूस के रूप में यह हाँक लगाने चले आ रहे थे—

"अछूतों को मन्दिरों में जाने देना, पाप है।"

हाँक का पहला अंश एक आदमी के मुख से निकलता था, और दूसरा अंश सैकड़ों कण्ठों से कोरस के रूप में निकल रहा था, लेकिन उन आवाजों में उत्साह न था, भक्ति न थी, अनुराग न था। ऐसा जान पड़ता था जैसे कोई जीर्ण रोगी मृत्युशय्या पर पड़ा हुआ कराह रहा है। जुलूस के पीछे एक जोड़ी थी, जिस पर कई वाचस्पति और मार्तंड फूलों के हारों से लदे, विद्या के निर्जीव भार से दबे, गर्वोन्नत भाव से बैठे हुए थे। विद्या का अभिमान उन्हें धरती पर पाँव न रखने देता था, जैसे कोई सेनापति अपने सैनिकों को पहली पंक्ति में खड़ा करके आप सबके पीछे निश्चिन्त बैठा हुआ हो। या, यों कहिए कि यह महानुभाव उस बरात के दूल्हे थे, जिसे अपने पद की गरिमा जमीन पर पाँव न रखने देती थी। इस नाजुक मौके पर भी जब उनके विचार में हिन्दू-धर्म पर चारों ओर से आक्रमण हो रहे हैं, वे अपनी महानता को नहीं भूल सकते। इधर महात्मा गाँधी को देखिए। साबरमती से डांडी की तरफ प्रस्थान कर रहे हैं। आगे आप हैं, पीछे उनके सिपाही हैं। अपने उत्सर्ग से अपने सैनिकों में उत्सर्ग की शक्ति का संचार करते हुए चले जा रहे हैं। इन फीटन-आरोही मार्तण्डों में एक पुरी के श्री 108 शंकराचार्य भी थे। इस निवृत्ति की उस प्रवृत्ति से तुलना कीजिए। यह संसार की सबसे महान शक्ति के सामने, न्याय के बल और आत्मा के विश्वास के साथ, एक जाति के

उद्धार के लिए अग्रसर हो रही है, और यह न्याय को पैरों से कुचलती, आत्मा की आँखों पर परदा डाले हुए, जाति के दलित और पीड़ित अंग को ठोकरें मार रही है। फिर क्यों न गिरजे ढाये जायँ। विद्या अगर आदमी को उदार बनाती है, उसमें सत्य और न्याय के ज्ञान को जगाती है, उसमें इन्सानियत पैदा करती है, तो वह विद्या है—अगर वह अभिमान बढ़ाती है, स्वार्थपरता की वृद्धि करती है तो वह अविद्या से भी बदतर है। ऐसी विद्या से मूर्खता हजार गुना अच्छी। धर्म का मूल तत्त्व आत्मा की एकता है। जो आदमी इस तत्त्व को नहीं समझता, वह वेदों और शास्त्रों का पंडित होने पर भी मूर्ख है; जो दुखियों के दुःख से दुःखी नहीं होता, जो अन्याय देखकर उत्तेजित नहीं होता, जो समाज में ऊँच-नीच, पवित्र-अपवित्र के भेद को बढ़ाता है, वह पंडित होकर भी मूर्ख है।

हमारे पास अँग्रेजी में छपा हुआ, वाइसराय के नाम एक मेमोरियल, वर्णाश्रम संघ का, आया है। उस पर बड़े-बड़े तर्क चूड़ामणियों और विद्यावाचस्पतियों के हस्ताक्षर हैं। वाइसराय से फरियाद की गयी है कि वह हिन्दू मन्दिरों की अछूतों से रक्षा करें। वाह रे मार्तंडों! क्यों न हो, कितनी दूर की सूझी है। अब भी अगर वाइसराय की खुशनूदी का परवाना न मिले, तो यह आप लोगों का दुर्भाग्य है। आपकी सेवा में दूसरे व्यवस्था लेने आया करते थे। आपका फतवा बड़े-बड़े मसलों को हल कर दिया करता था और आज आप एक धर्म के विषय को लिये वाइसराय के पास, कुत्तों की तरह दुम हिलाते दौड़े हुए, चले जा रहे हैं। वह आपकी विद्या कहाँ गयी? आप-हिन्दू समाज को अपने तर्कों से, प्रमाणों से, अपने धर्म-ज्ञान से क्यों नहीं उस रास्ते पर लाने में सफल हो रहे हैं, जिसे आप सीधा रास्ता समझते हैं। क्यों आपको इसका विश्वास नहीं है कि हिन्दू जनता आपका समर्थन करेगी? इसलिए कि आप में आत्म-विश्वास नहीं है कि हिन्दू जनता आपका समर्थन करेगी। इसलिए कि आप में आत्म-विश्वास नहीं है, स्वार्थ-लिप्सा और अभिमान ने आपकी आत्मा को दुर्बल बना दिया है। यह वही हिन्दू जाति है, जो आपके चरणों की रज माथे पर लगाकर अपने को धन्य मानती है, जो आपकी बातों को ब्रह्म-वाक्य समझती है, मगर आज आपकी, उसकी नजरों में, अणुमात्र भी प्रतिष्ठा नहीं है। हो सकता है, थोड़े से अर्धशिक्षित धनवान मारवाड़ियों के दिल में आज भी आपके प्रति श्रद्धा हो, पर जिसे शिक्षित समाज कहते हैं, उसकी नजरों में आपकी कोई प्रतिष्ठा नहीं है, और कोई सम्प्रदाय शिक्षितों की अवहेलना करके जीवित नहीं रह सकता। हिन्दू समाज की और राष्ट्र की जो वर्तमान अधोगति हो रही है, उसके जिम्मेवार आप ही जैसे लोग हैं, और हिन्दू जाति अब आपके पीछे आँखें बन्द करके चलने पर तैयार नहीं। आपने आठ करोड़ हिन्दुओं को मुसलमान बना दिया। यह छः करोड़ अछूत भी आप ही के विद्यावाण के बेधे

हुए हैं, क्या हिन्दू-धर्म को संसार से मिटाकर ही दम लेंगे—आपको अपना हित भी नहीं नजर आता?

क्या मन्दिरों के पुजारियों और मठों के महन्तों से हिन्दू जाति बनी हुई है? पूजा करनेवाले भी रहेंगे, या पूजा करवानेवाले ही मन्दिरों को स्थायी रखेंगे?

एक वह जातियाँ हैं, जो दूसरों को अपने में मिलाकर फूली नहीं समातीं। आज एक चमार मुसलमान हो जाए, सारा मुस्लिम समाज उसका स्वागत करेगा, लेकिन यह मेमोरियलबाज लोग, जो हिन्दू जाति के रक्षक होने का दावा करते हैं, यह भी नहीं सह सकते कि कोई बाहर का आदमी उनके देवताओं के दर्शन कर सके। अछूत के पैसे तो आप बेधड़क ले लेते हैं, अछूत कोई मन्दिर बनावे, आप दल-बल के साथ जाएँगे, मन्दिर में देवता की स्थापना करेंगे, तर माल खाएँगे—हाँ, अछूत ने उसे छूआ न हो—दक्षिणा लेंगे, इसमें कोई पाप नहीं, न होना चाहिए, लेकिन अछूत मन्दिर में नहीं जा सकता, इससे देवता अपवित्र हो जाएँगे। अगर आपके देवता ऐसे निर्बल हैं कि दूसरों के स्पर्श से ही अपवित्र हो जाते हैं, तो उन्हें देवता कहना ही मिथ्या है। देवता वह है, जिसके सम्मुख जाते ही चांडाल भी पवित्र हो जाए। हिन्दू उसी को अपना देवता समझता है। पतितों का उद्धार करनेवाले ठाकुर ही हमारे ठाकुर हैं, जो पतितों के दर्शन-मात्र से पतित हो जाएँ, ऐसे ठाकुर को हमारा दूर से ही नमस्कार है।

कहा जाता है कि अछूतों की आदतें गन्दी हैं, वे रोज स्नान नहीं करते, निषिद्ध कर्म करते हैं, आदि। क्या जितने अछूत हैं, वे रोज स्नान करते हैं, क्या कश्मीर और अल्मोड़ा के ब्राह्मण रोज नहाते हैं। हमने इसी काशी में ऐसे ब्राह्मणों को देखा है, जो जाड़ों में महीने में एक बार स्नान करते हैं। फिर भी वे पवित्र हैं। यह इसी अन्याय का प्रायश्चित्त है कि संसार के अन्य देशों में हिन्दू-मात्र को अछूत समझा जाता है। फिर शराब क्या ब्राह्मण नहीं पीते। इसी काशी में हजारों मदसेवी ब्राह्मण—और वह भी तिलकधारी—निकल आएँगे, फिर भी वे ब्राह्मण हैं। ब्राह्मणों के घरों में चमारियाँ हैं, फिर भी उनके ब्राह्मणत्व में बाधा नहीं आती, किन्तु अछूत नित्य स्नान करता हो, कितना ही आचरणवान हो, वह मन्दिर में नहीं जा सकता। क्या इसी नीति पर हिन्दू-धर्म रह सकता है? इस नीति के कुफल हम देख चुके, अब सावधान हो जाना चाहिए।

हमारी समझ में नहीं आता हम किस मुँह से यह दावा कर सकते हैं कि हम पवित्र और अमुक अपवित्र है। किसी ब्राह्मण महाजन के पास उसी का भाई ब्राह्मण असामी कर्ज माँगने जाता है, ब्राह्मण महाजन एक पाई भी नहीं देगा, उस पर उसका विश्वास नहीं है। वह जानता है, इसे रुपये देकर इससे वसूल करना मुश्किल हो जाएगा। उसी ब्राह्मण महाजन के पास एक अछूत असामी जाता है

और बिना किसी लिखा–पढ़ी के रुपये ले आता है। ब्राह्मण को उस पर विश्वास है। वह जानता है. यह बेईमानी नहीं करेगा। ऐसे सत्यवादी, सरल हृदय, भक्ति परायण, लोगों को हम अछूत के नाम से पुकारते हैं, उनसे घृणा करते हैं, मगर हमारा विश्वास है, हिन्दू समाज की धार्मिक चेतना जागृत हो गयी है, अब वह ऐसे अन्यायों को सहन नहीं करेगा। राष्ट्रों के जीवन का रहस्य उसकी समझ में आ गया है, वह ऐसी नीति का साथ न देगा, जो उसके जीवन की जड़ काट रही है।

21 नवम्बर, 1932

महात्मा जी का उपवास

गुरुवयूर की एक सार्वजनिक सभा में भाषण देते हुए श्री केलप्पन ने यह सूचित किया था कि महात्मा जी का एक पत्र उनके नाम आया है, जिसमें उन्होंने लिखा है, कि आप दो जनवरी से उपवास करने के लिए तैयार हो जाओ। श्री केलप्पन ने जिस साहस से गुरुवयूर के मन्दिर को अछूतों के लिए खुलवा देने के लिए उपवास करने का निश्चय किया था, जिस साहस से वे कई दिन तक लगातार उपवास करते रहे। उसकी जितनी प्रशंसा की जावे, थोड़ी है। उस समय जमोरिन ने जिद्द कर मन्दिर न खोलने में जो अहम्मन्यता अथवा जड़ता दिखलायी थी, उसकी जितनी निन्दा की जावे थोड़ी है। उस समय, महात्मा जी के मना करने से श्री केलप्पन ने अनशन तोड़ दिया था। महात्मा जी ने इतने समय तक इस बात की प्रतीक्षा की थी कि किसी प्रकार जमोरिन को अक्ल आ जावेगी। महामना मालवीय जी, श्री राजगोपालाचारी और श्री राजेन्द्र प्रसाद तथा श्रीमती गाँधी ने इस दिशा में भरसक कोशिश की थी, कि जमोरिन अपनी जिद्द तोड़ दे, लेकिन जमोरिन ने कुछ भी न किया। जहाँ तक हम कानून जानते हैं किसी देवालय पर किसी का भी हक़ नहीं है। आखिर गुरुवयूर मन्दिर के जमोरिन होते ही कौन हैं! फिर भी, एक बार जब महात्मा जी ने केलप्पन को इसी काम के लिए मना किया तो यह उनके लिए फर्ज हो जाता है कि वे पुनः उपवास करने के समय श्री केलप्पन का साथ दें। महात्मा जी की इस दार्शनिकता को जरा हम कठिनाई से समझ सकते हैं, पर इस ओर ध्यान देना जरूरी है। अब, क्या हम भारतीय इतना गिर गये हैं कि विश्व की एक विभूति जमोरिन की जिद्द के कारण बलिदान हो जावे। ईश्वर हमारे अहिंसात्मक आग्रह में बल दें।

5 दिसम्बर, 1932

हरिजन बालकों के लिए छात्रालय

नागपुर में हरिजन बालकों के लिए अलग एक छात्रालय बनाया गया है। इससे तो अछूतपन मिटेगा नहीं, और दृढ़ होगा। उन्हें तो साधारण छात्रालयों में बिना किसी विचार के स्थान मिलना चाहिए।

5 दिसम्बर, 1932

दिल्ली के म्युनिसिपल चुनाव में अछूत मेम्बर

दिल्ली म्युनिसिपैलिटी में दो मेम्बरों का स्थान खाली हो गया था। उसके लिए उम्मीदवार खड़े हुए थे। नेशनलिस्ट दल ने दोनों जगहों के लिए दो अछूत भाइयों को खड़ा कर दिया। जनमत का ऐसा दबाव पड़ा कि सभी हिन्दू उम्मीदवार बैठ गये और दोनों अछूत उम्मीदवार बिना मुकाबले के चुन लिये गये। अगर अब भी किसी को सन्देह हो कि हिन्दू अपने दलित भाइयों के साथ न्याय करना नहीं चाहते, तो यह उसका अन्याय है। महात्मा गाँधी के अनशन ने जो जागृति पैदा की है, उसने हिन्दू समाज में क्रान्ति पैदा कर दी है और हमें विश्वास है कि यह समस्त हिन्दू जाति का एकीकरण करके ही शान्त होगी।

19 अक्टूबर, 1932

कानपुर म्युनिसिपल चुनाव

कानपुर में म्युनिसिपल चुनाव पर जहाँ हम नागरिकों को इसलिए बधाई देते हैं, कि उन्होंने दोनों महिलाओं को बहुमत से अपना प्रतिनिधि चुना, वहाँ हमें उनसे यह शिकायत भी है, कि उन्होंने दोनों हरिजन भाइयों के साथ अन्याय किया। हरिजन उम्मीदवारों के मुकाबले में जो महाशय खड़े हुए थे, उन्हें देश की परिस्थिति का विचार करके खुद बैठ जाना चाहिए था। यदि वे इतना त्याग नहीं कर सकते थे, तो वोटरों को हरिजनों के पक्ष में वोट देना चाहिए था, पर कानपुर वालों ने अपनी अनुदारता पर प्रमाण देना ही श्रेय की बात समझा। राष्ट्र को इनके इस व्यवहार से कितना बड़ा धक्का पहुँचा है, कदाचित् इसका वे अनुमान नहीं कर सकते। अभी पूना का समझौता हुए बहुत दिन नहीं बीते। जब अभी से हरिजनों की उपेक्षा की जाने लगी, तो इसका नतीजा यही होगा कि वह स्थानीय बोर्डों में भी अपना बँटवारा कराने के लिए जोर देंगे और कौन कह सकता है, उनकी वह माँग न्याय-संगत न होगी।

12 दिसम्बर, 1932

हमारे युवकों का कर्तव्य

महात्मा गाँधी ने काशी विश्वविद्यालय के अध्यापक श्री सी.एन. मेनन के एक पत्र का जवाब देते हुए लिखा है—

"प्रियवर, मैं कह सकता हूँ कि अगर छात्रों की ओर से जमोरिन के नाम एक पत्र भेजा जाय, जिस पर उन सभी छात्रों के हस्ताक्षर हों जिनका हरिजनों के उद्धार में विश्वास है, तो यह इस बात का उज्ज्वल प्रमाण होगा कि भावी राष्ट्र इस काले दाग को मिटाने के लिए कितना तुला हुआ है। क्या ही अच्छी बात हो कि हिन्दू-विश्वविद्यालय की तरह सभी विद्यालयों के छात्र ऐसा ही करें।"

हमें पूर्ण विश्वास है, कि हमारे छात्र इस आदेश को शिरोधार्य करेंगे। हमें यह भी विश्वास है कि अधिष्ठाताओं की ओर से अगर इस शुभ कार्य में प्रोत्साहन न मिलेगा, तो कम-से-कम कोई बाधा न खड़ी की जाएगी।

12 दिसम्बर 1932

पावन तिथि

18 दिसम्बर, भारत के इतिहास में बहुत दिनों तक याद रखा जाएगा। यह उस पावन पर्व का दिन था, जब हिन्दू-समाज ने व्यावहारिक रूप से उस तत्त्व को स्वीकार कर लिया, जो सभी धर्मों का मूल तत्त्व है, और वह है—मनुष्य-मात्र की समता। बौद्ध और ईसाई, इसलाम और सिख, सभी मजहबों में, जहाँ तक उनका समाज से सम्बन्ध है (Universal Brotherhood) को ही आधार माना गया है। बल्कि यों कहा जा सकता है कि धर्मों की सृष्टि का यही उद्देश्य था। इसी एक व्यवस्था में सारे आध्यात्मिक और नैतिक, दैहिक और मानसिक सिद्धान्त समाविष्ट हो जाते हैं। जब मानव समाज में छोटे-बड़े, ऊँच-नीच का भेद बढ़ा, एक नये धर्म का उदय हुआ। संसार में जितने धर्म हैं, उनमें यही एक तत्त्व है, जो सबमें पाया जाता है। उनमें तरह-तरह के भेद हैं, भाँति-भाँति की व्यवस्थाएँ हैं—कहीं मांस वर्जित है, कहीं मदिरा वर्जित है, कहीं इनमें से एक भी वर्जित नहीं, कहीं एक ही ब्याह की व्यवस्था है, कहीं चार की, कहीं अनेक की, लेकिन इस भाईचारे के विषय में सभी एकमत हैं; इसका कारण यही है, कि इस तत्त्व की उपेक्षा करके, समाज में शान्ति नहीं रह सकती। या तो किसी नये धर्म की सृष्टि होगी, या कोई भयंकर विप्लव हो जाएगा। फ्रैंच-क्रान्ति इसी विषमता की फरियाद थी, रूस की क्रान्ति भी इसी भेद-भाव का रुदन था। मनुष्य मात्र में जो एक आत्मा व्याप्त है, वह इस विषमता को सहन नहीं कर सकती।

दैवी सम्पद

हमारे जितने पर्व हैं, वे सभी किसी आध्यात्मिक विजय की यादगार हैं। 18 दिसम्बर को भारत के एक कोने से दूसरे कोने तक जो पावन पर्व मनाया गया, वह हिन्दू जाति के पुनरुत्थान का यज्ञ था। एक समय आएगा, जब होली और दीपावली, विजया दशमी और रक्षाबन्धन की भाँति सारे भारतवर्ष में घर-घर यह उत्सव मनाया जाएगा। रक्षाबन्धन ब्राह्मणों का पर्व है, विजयादशमी क्षत्रियों का, दीपावली वैश्यों का, होली शूद्रों का, लेकन यह 'हरिजन दिवस' समस्त हिन्दू जाति का पर्व होगा। यह वर्णभेद को मिटाकर एकता के भावों को जगाने और पालनेवाला होगा। क्या आध्यात्मिक और क्या सामाजिक दृष्टि से कोई भी पर्व इसकी बराबरी कर सकता है? यह चिरकाल तक उस विषय की याद दिलाता रहेगा, जो दैवी शक्तियों ने आसुरी मनोवृत्तियों पर पायी। पृथकता और विच्छेद आसुरी मनोवृत्ति है। एकता और प्रेम दैवी सम्पद है। ऊँचे कुल के विद्वान, प्रतिष्ठित, प्रभावशाली सज्जनों को झाड़ और टोकरी लेकर हरिजनों के घर और मुहल्लों की सफाई करते देखकर राष्ट्र की आत्मा फूली न समायी होगी। हरिजन बालकों के साथ सजातीय बालकों को हिल-मिलकर खेलते देखकर ईश्वरों ने भी आशीर्वाद दिया होगा। बुद्ध और शंकर, रामानुज और चैतन्य, दयानन्द और गोविन्दसिंह की आत्माओं ने स्वर्गधाम से जो शुभेच्छाएँ की होंगी, जिन आदर्शों के लिए उन्होंने जीवन का उत्सर्ग कर दिया, उन्हें फलते-फूलते देखकर उन्हें जो आनन्द हुआ होगा, उसकी कल्पना से हमारे राष्ट्र-जीवन में कितनी शक्ति और स्फूर्ति का संचार होगा, इसे कौन कह सकता है। हिन्दू जाति ने इस चिरकाल कलंक को धो डालने के लिए जितने उत्साह और विचार से काम लिया है, वह साबित करता है, कि उनकी जीवनधारा चाहे अवरुद्ध हो गयी हो पर सूखी नहीं है। लेकिन जिन हरिजनों को हमने सदा अस्पृश्य समझा, जिनके साथ हमने सदा अमानुषीय व्यवहार किया, यदि उनके प्रति इतने प्रदर्शन मात्र से हम सन्तुष्ट हो जायँ तो इससे उनमें वह आत्मिक जागृति कदापि न उत्पन्न होगी जो उनके अध:पतन की प्रगति को रोक

सके। हमको दिल से यह भाव सम्पूर्णतः निकाल डालना होगा कि हम उनसे ऊँचे हैं। हमने केवल पशुबल से उनके अधिकारों का अपहरण कर लिया है। हम उनसे बलवान हो सकते हैं, पर ऊँचे कदापि नहीं। बल नैतिक दृष्टि से उच्चता का बोधक नहीं। उच्चता, परोपकार, सेवा नीयत की सफाई और त्याग में है। इस कसौटी पर कसा जाय तो हिन्दू जाति को मालूम हो जाएगा कि उसका बड़प्पन का दावा कितना भ्रममूलक है। वह समय आ रहा है जब हम समझेंगे कि संसार का सुख भोगना ही बड़प्पन की दलील नहीं है, बल्कि सेवा ही वास्तविक बड़प्पन है।

धर्म भेद नहीं सिखाता

समस्त देश जमोरिन से गुरुवयूर का मन्दिर खोलने की प्रार्थना कर रहा है, प्रस्ताव पर प्रस्ताव पास हो रहे हैं, डेपुटेशन पर डेपुटेशन और तार पर तार भेजे जा रहे हैं, पर जमोरिन पर अभी तक कोई असर होता नजर नहीं आता। अभी तक वहाँ जितनी सम्मतियों की गणना की गयी है, उससे यही मालूम होता है कि बहुमत हरिजनों के प्रवेशाधिकार के पक्ष में है। किसी-किसी फ़िक्रे में तो नब्बे फीसदी पक्ष में है। विपक्ष में सबसे बड़ी संख्या छब्बीस फीसदी है। फिर भी जमोरिन अड़े हुए हैं। महात्मा गाँधी और श्रीकेलप्पन के उपवास की सम्भावना दिन-दिन बढ़ती जाती है, पर जमोरिन टस-से-मस नहीं हो रहे हैं। उधर वर्णाश्रम संघ भी जोर बाँधे हुए हैं, और वायसराय से फरियाद कर रहा है कि विधर्मियों से हिन्दू धर्म की रक्षा कीजिए, किन्तु हिन्दू जाति का रुख किधर है, यह खुली हुई बात है। थोड़े से शास्त्रोपजीवी लोगों को छोड़कर सारा हिन्दू-समाज हरिजनों के मन्दिर प्रवेश के पक्ष में है। इस विषय में हिन्दू समाज से इतनी उदारता की आशा न की जाती थी, लेकिन यह तो हमारी समझ में आता है कि हरिजनों में अधिकांश अखाद्य वस्तुओं का व्यवहार करते हैं, गन्दे रहते हैं और हम अपने संस्कारों के कारण इच्छा रहते हुए भी उनसे मिल नहीं सकते। मगर जब इस भेदभाव को धर्मशास्त्रों से सिद्ध किया जाता है, तब हम अधीर हो जाते हैं और धर्मशास्त्रों से हमारी श्रद्धा उठ जाती है। महात्मा गाँधी कहते हैं—

"अस्पृश्यता को बुद्धि ग्रहण नहीं कर सकती। वह सत्य का, अहिंसा का विरोधी धर्म है, इसलिए धर्म ही नहीं। हम ऊँच और दूसरे नीच हैं, यह विचार ही नीच है। जिस ब्राह्मण में शूद्र का, सेवा का गुण नहीं, वह ब्राह्मण नहीं। ब्राह्मण तो वही है, जिसमें क्षत्रिय के, वैश्य के और शूद्र के, सब गुण हों और इनके अतिरिक्त ज्ञान हो। शूद्र ज्ञान से सर्वथा रहित अथवा विमुख नहीं होते। उनमें सेवा प्रधान है। वर्णाश्रम में तो भंगी, चाण्डाल आदि तर गये हैं; जो धर्म संसार-मात्र को विष्णु समान जानता है, अन्त्यज को विष्णु-रहित कब मान सकता है।"

जो धर्मशास्त्र, अहंकार, दंभ और ऊँच-नीच का भेद सिखाते हैं, वह मान्य नहीं हो सकते। यह भेद ही ईश्वर-विमुख है और हमें विश्वास नहीं आता कि धर्मशास्त्र कोई ऐसी व्यवस्था कर सकते हैं, जो सर्वथा अन्याय संगत और सर्वात्मा की व्यापकता का विरोधी हो। अवश्य ही ऐसी बातें हिन्दू धर्म-द्रोहियों ने पीछे से बढ़ा दी हैं। या तो वह क्षेपक हैं, अथवा उनका अर्थ ठीक नहीं किया जा रहा है। फिर महात्मा जी ही के शब्दों में—"जैसे-जैसे समय गुजरता जाता है, अस्पृश्यता का भी नाश होता जाता है। रेलों, सरकारी स्कूलों, तीर्थ-स्थानों और अदालतों में इसके लिए स्थान नहीं है, और मिलों तथा दूसरे बड़े कारखानों में अन्त्यजों से कोई परहेज नहीं रखा जाता। गीता में भी यही कहा गया है। समदर्शी के लिए ब्राह्मण, श्वान, अन्त्यज सब एक से हैं।"

अब वह समय नहीं रहा कि शास्त्र में जो कुछ मिले, उसे ब्रह्मवाक्य समझ लें। सम्भव है, जिस समय उन स्मृतियों की रचना हुई हो, उस समय ऐसे विचारों की जरूरत रही हो, लेकिन शास्त्र भी उसी दशा में मान्य है, जब वे सत्य की कसौटी पर पूरे उतरें। कोई समय था जब हिन्दू धर्म में गोमेध ही नहीं, नरमेध भी जायज था, पर आज हम धर्म के नाम पर भी नरमेध करना घृणित समझते हैं। हम यह मानते हैं—जहाँ बुद्धि का प्रवेश नहीं, वहाँ विश्वास ही हमारा आश्रय है, लेकिन जिन बातों के सत्यासत्य को हम बुद्धि से पहचान सकते हैं, जो मानवता, न्याय, अहिंसा और सत्य के प्रतिकूल हैं, उन्हें हम शास्त्रोक्त मानकर व्यवहार में नहीं लाना चाहते। अपने को ऊँचा और दूसरे को नीचा समझना, ऐसी निकृष्ट स्वार्थपरता है, जिसका जरूरत पड़ने पर चाहे हम व्यवहार करें, पर उसे शास्त्रोक्त कहकर उसका समर्थन नहीं कर सकते। यों तो जरूरत पड़ने पर हम चोरी भी करते हैं, झूठ भी बोलते हैं। आपदकाल में चोरी करना या झूठ बोलना भी अधर्म नहीं माना जाता, लेकिन हम चोरी या झूठ की प्रशंसा नहीं कर सकते। भद्रता का मुख्य लक्षण है—विनम्रता। हम किसी सभा में जाते हैं तो अधिकारी होने पर भी सबसे ऊँचा आसन नहीं ग्रहण करते, घर का स्वामी होने पर भी सबसे पहले और सबसे स्वादिष्ट भोजन नहीं करते। पुरानी स्मृतियों में ब्राह्मण को प्राणदंड देना शास्त्र-विरुद्ध था। ईसाइयों में जब पोप की प्रधानता थी, तो पादरियों को प्राणदंड नहीं दिया जाता था। पादरियों के मुकदमे के उनकी अपनी अदालत में फैसले होते थे, लेकिन उस धर्मान्धता के दिन विदा हो गये। अब तो धर्म, न्याय और नीति की कसौटी पर कसा जाता है। अगर वह बुद्धि-संगत है तो मान्य है, अन्यथा हम उसकी परवाह नहीं करते। इसी बुद्धि-संगतता को संतुष्ट करने के लिए हमारे धर्माचार्यों ने कितनी ही धर्म व्यवस्थाओं को, धर्म-कथाओं और धर्म-प्रथाओं के नये अर्थ निकाले हैं और निकल रहे हैं।

मन्दिर प्रवेश ही इस समस्या को हल करेगा

हरिजनों की समस्या केवल मन्दिर प्रवेश से हल होनेवाली नहीं है। उस समस्या की आर्थिक बाधाएँ धार्मिक बाधाओं से कहीं कठोर हैं। आज शिक्षित हिन्दू-समाज में ज्यादा-से-ज्यादा पाँच फीसदी रोजाना मन्दिर में पूजा करने जाते होंगे; पाँच फीसदी न कहकर अगर पाँच ही हजार कहा जाए तो उचित होगा। शिक्षित हरिजन भी मन्दिर प्रवेश को कोई महत्त्व नहीं देते। हरिजनों के अपने देवता अलग हैं। मन्दिर प्रवेश का अधिकार पाते ही वे अपने देवताओं को उठाकर दरिया में न फेंक देंगे। हिन्दू जाति उन्हें यह अधिकार देकर केवल अपना कलंक दूर करेगी, उसी तरह जैसे मृतक-श्राद्ध करके हम केवल अपनी आत्मा को शान्त करते हैं। मृत आत्मा को उससे लाभ होता है, इसके निश्चय करने का हमारे पास न कोई साधन है न इच्छा। असल समस्या तो आर्थिक है। यदि हम अपने हरिजन भाइयों को उठाना चाहते हैं तो हमें ऐसे साधन पैदा करने होंगे जो उन्हें उठने में मदद दें। विद्यालयों में उनके लिए वजीफे करने चाहिए, नौकरियाँ देने में उनके साथ थोड़ी-सी रियायत करनी चाहिए। हमारे जमींदारों के हाथ में उनकी दशा सुधारने के बड़े-बड़े उपादान हैं। उन्हें घर बनाने के लिए काफी जमीन देकर , उनसे बेगार लेना बन्द करके, उनसे सज्जनता और भलमनसी का बरताव करके वे हरिजनों की बहुत कुछ कठिनाइयाँ दूर कर सकते हैं। समय तो इस समस्या को आप ही हल करेगा, पर हिन्दू जाति अपने कर्तव्य से मुँह नहीं मोड़ सकती।

26 दिसम्बर, 1932

सनातन धर्म का प्रचार

शुद्ध सनातन धर्म क्या है, यह विषय विवादास्पद है। जो अपने को सनातन धर्म का प्राण भी कहते हैं, वे स्वयं इस विषय में चिन्तित हैं कि वेद और शास्त्र द्वारा स्वतः धर्म की व्याख्या अनेकानेक प्रकार से की गयी है और इसी कारण विदुर ने महाभारत में साफ लिख दिया है—

"धर्मस्य तत्त्वं निहितं गृहायां, महाजनो येन गतः सपन्था।"

जब महाजनों द्वारा प्रदर्शित पथ ही माननीय है तो "महाजन" कौन है, किसे समझना चाहिए, यह शंका होती है। केवल पोथी-पत्रे के पंडित को ही महाजन नहीं कहा जा सकता। स्मृतिवाक्य तो इस विषय में स्पष्ट ही है कि—

अग्रेभ्यः ग्रान्थिनः श्रेष्ठाः, ग्रन्थिभ्यो धरिणोवराः
धरिभ्यो ज्ञानिनः श्रेष्ठाः, ज्ञानिभ्यो व्यवसायिनः॥

अर्थात् सबसे श्रेष्ठ 'व्यवसायी' है, अपने ज्ञान को व्यवसाय रूप में कार्यान्वित करनेवाला ही वास्तविक पंडित है, महाजन है, ज्ञाता है, आचार्य है। यदि पंडित-समुदाय यह कहते हैं, कि हर दशा में ब्राह्मणों को ही श्रेष्ठ माना गया है, ब्राह्मण ही श्रेष्ठ समझे गये तथा वे मनुस्मृति का यह श्लोक रट डालते हैं कि—

भूतानां प्राणिनः श्रेष्ठाः, प्राणिनाम् बुद्धिजीवनः।
बुद्धिमत्सु नराः श्रेष्ठाः, नरेषु ब्राह्मणा स्मृताः॥

मनु. 1, 97।

तो उन्हें यह भी याद रखना चाहिए कि—इसी के आगे मनु भगवान ने लिखा है—

ब्राह्मणेषु च विद्वांसो, विद्वत्सु कृत बुद्धयः।
कृतबुद्धिषु कर्त्तातः, कर्त्तृंयु ब्रह्मवादिनः॥

ब्रह्मवादी सबसे श्रेष्ठ हैं। फलतः जो व्यवसायी हैं, और ब्रह्मवादी हैं, वही सबसे श्रेष्ठ हैं, केवल त्रिपुंड फटकारे, दूसरे का दिया हुआ खाकर पेट फुलाये, अशिष्ट, वेद का पंडित नहीं। इन कसौटियों में कसने पर तो भारत में एक भी ऐसा पंडित नहीं दीख पड़ता जो महात्मा गाँधी की तरह 'महाजन' हो, मानवीय हो। हमारी सम्मति में महात्मा जी जिस प्रकार देशभर के लिए सबसे बड़े महाजन हैं, इसी प्रकार काशी के लिए सबसे बड़े महाजन डॉ. भगवान दास हैं, और सनातन धर्म के अनुसार यही सर्वथा उचित है कि काशीवासी पोपडम के पुजारी, पाखंड के समर्थकों की किंचित् भी परवाह न कर, इन्हीं के बतलाये पथ पर चलें और केवल मन्दिर इत्यादि ही हरिजनों के लिए न खोल दें, किन्तु अपने हृदय का मन्दिर भी हरिजनों के लिए खोल दें।

हमें हर्ष है कि यह बात हमें काशी की जनता को बतलाने की जरूरत नहीं है। 8 तारीख को वाइसराय से यह प्रार्थना करने के लिए कि वे हरिजनों के मन्दिर प्रवेश के अधिकार सम्बन्धी बिल को असेम्बली तथा कौंसिल में पेश करने दें। काशी टाउनहॉल में डॉ. भगवान दास के सभापतित्व में जो महती सभा हुई थी, उनमें जनता का, पन्द्रह हजार की भीड़ का, हरिजनों के प्रति अनुराग स्तुत्य तथा सराहनीय था। उस सभा में काशी के क्षेत्रों में मुफ्त भोजन कर, कतिपय उच्छृंखल संस्कृत के विद्यार्थियों ने गड़बड़ पैदा करने की कोशिश की थी। 'वैदिकी हिंसा हिंसा न भवति' को माननेवाले इन अशिष्टों ने पहला विरोध ढेला बरसाकर किया। फलतः दो-चार के मस्तक से खून बह निकला। जब जनता उत्तेजित होकर उन्हें भर्ता कर डालना चाहती थी, इनकी बात सुनना तो दूर रहा, डॉ. भगवान दास ने जनता को शान्त कर तीन अस्पृश्यता-निवारण के विरोधियों का व्याख्यान कराया। ये व्याख्याता स्वयं अपने समर्थकों के उजड्डपन से घबरा रहे थे। जनता ने बार-बार भड़काए जाने पर भी सभापति की आज्ञा का पालन किया। अन्त में, जब प्रस्ताव घोर 'हर्ष-ध्वनि' के साथ पास हुआ तो वास्तविक विधर्मियों ने पुनः कोलाहल मचाया।

अस्तु, चाहिए तो यह था कि 'अधिकांश की मूर्खता' पर दुःख प्रकट करके, सनातनी समय की प्रतीक्षा करते जब वे अपनी बात का प्रभाव पैदा कर सकें, किन्तु ढेले या डन्डे का प्रश्रय इधर धर्म के प्रचार के लिए वे ले रहे हैं, यह कहाँ की धार्मिकता है? किस शास्त्र का वचन है? काशी के अधिकांश संस्कृत-छात्र 'परद्रव्येषु लोष्टवत्' समझकर मुफ्त का भोजन-आराम तो किया करते ही हैं, क्या वे पराये प्राण को 'लोष्टवत्' समझते हैं? सहिष्णुता तथा गम्भीरता क्या शास्त्र से उठ गयी? यही नहीं, वे व्यर्थ के झूठे आक्षेपों को चिल्लाकर, झूठी नोटिसें बाँटकर क्या हमें यह भी रास्ता बतला रहे हैं कि कलियुग में सनातन धर्म का

प्रचार झूठ बोलकर करना चाहिए? क्या वे वेद तथा धर्म को साक्षी देकर कह सकते हैं, कि वे अपनी पराजय का जो कारण बतलाते हैं, सत्य है? जिन्हें इस बात पर सचमुच यकीन हो, कि अस्पृश्यता हमारे समाज का एक गुण है, वे 'यत्ने कृते यदि न सिद्धति कोत्रदोषः'—यत्न करें। व्यर्थ झूठ या दगेबाज़ी की बातें क्यों करते हैं। कम-से-कम, यह तो हम जानते हैं कि इस उपयोगी प्रस्ताव के नब्बे प्रतिशत विरोधी इतने अबोध हैं कि वे जानते ही नहीं कि अस्पृश्यता की समस्या क्या है।

23 जनवरी 1933

अस्पृश्यों की महत्त्वाकांक्षा

हमारे पास कलंत-आश्रम, जफराबाद के हरिजन-सेवक श्री हरिजन दास कलन्त का एक पत्र आया है जिसमें वे लिखते हैं कि, ''आज मैं वर्षों से हरिजनों की सेवा में ही अपना प्राण लगा रहा हूँ। मेरा यह अनुभव है कि हरिजन मन्दिर-प्रवेश के लिए इतने उत्सुक नहीं हैं जितना अपनी आर्थिक दशा को सुधारने के लिए। वे चाहते हैं कि अपने गृह-उद्योग द्वारा वे स्वतन्त्र हो जाएँ। उनकी माली हालत सुधरे। इसलिए हम चाहते हैं कि मशीनरी की उत्पत्ति पर कर लगा दिया जाए। गृह-उद्योग तभी पनपेगा और हम तभी सुखी हो सकेंगे।''

'आज' में प्रकाशित श्री परिपूर्णानन्द के 'हरिजनों की सेवा' के कार्यक्रम का समर्थन करते हुए भी, वे लिखते हैं कि हरिजन यही सबसे बड़ी सेवा समझते हैं। कलन्त जी ने हमारे पास महात्मा जी के नाम एक अपील भी भेजी है। यह अपील हरिजनों की ओर से ही है। इसमें लिखा गया है कि जौनपुर (प्रयाग) में गत रविवार को हरिजनों ने अपनी महती सभा में श्री भगवान सूर्य के सभापतित्व में यह निश्चय किया कि वे उच्च वर्णों के मन्दिरों में नहीं जाना चाहते। इससे विरोध बढ़ता है और विरोध ही मानवी आजादी को नष्ट करता है। 'हम इस समय सबसे बड़ी बात जो चाहते हैं वह है आप (महात्मा जी) हमारी जरा भी चिन्ता न कर अपना स्वास्थ्य ठीक रखें (भगवान सूर्य हमारे दाता हैं)' इस अपील में भी गृह-उद्योग को महत्ता प्रदान की गयी है।

हरिजनों के इन उदार विचारों के लिए हम उन्हें बधाई देते हैं। फिर भी, वे चाहें या न चाहें। हम उन्हें मन्दिर प्रवेश का अधिकार देना ही चाहते हैं। रह गयी गृह-उद्योग की बात। इस विषय में उनके विचारों का हम समर्थन करते हैं। जब उनके पास पैसा होगा तो भोजन—यह ब्राह्मण और भिक्षु-विप्र भी उनको उन्नत मानने लगेंगे।

23 जनवरी, 1933

मन्दिर प्रवेश और सरकार

हमें तो यह समाचार पढ़कर विश्वास ही नहीं हुआ कि वाइसराय महोदय ने मद्रास कौंसिल में श्रीयुत सुब्बरायन को 'मन्दिर-प्रवेशाधिकार' सम्बन्धी बिल पेश करने का अधिकार नहीं दिया। श्रीयुत सुब्बरायन ने कौंसिल में इस आशय का प्रस्ताव भेजा था कि जितने सार्वजनिक मन्दिर हैं, सबमें सभी जाति के हिन्दुओं को प्रवेश का अधिकार दिया जावे। भारत-सरकार के अस्सी (अ) धारा के अनुसार मद्रास सरकार ने वाइसराय के पास इस बात की स्वीकृति के लिये कि यह कानून पेश करने की इजाजत दी जावे या नहीं, इसे भेजा था और 23 जनवरी का सम्वाद है कि वाइसराय ने स्वीकृति नहीं दी। श्रीयुत रंगाअय्यर ने एक प्रस्ताव असेम्बली में पेश करने के लिए भेजा था, जिसके अनुसार "भारत से जाति-पाँति की बाधाएँ एकदम उठा दी जानी चाहिए।" इस प्रस्ताव को पेश करने की इजाजत मिल गयी है तथा एक महीने की नोटिस की बाधा के अनुसार 23 फरवरी तक यह प्रस्ताव असेम्बली में विचारार्थ पेश हो जावेगा।

मिस्टर अय्यर के प्रस्ताव के समानान्तर कई प्रस्ताव मि. एस.सी. मित्रा, श्री गया प्रसाद सिंह, श्रीदास आदि के नाम से भी बड़ी कौंसिल में पेश होनेवाले हैं।

वाइसराय ने मद्रास कौंसिल में जिस प्रस्ताव को पेश न होने की आज्ञा दी है, उसका कारण यह है कि विषय प्रान्तीय दृष्टि से विचार करने योग्य नहीं है। मद्रास में बहुत से ऐसे मन्दिर हैं, जहाँ बाहर से यात्री दर्शन करने जाते हैं। अतः उन मन्दिरों के साथ भारत भर का सम्बन्ध है। इसके अतिरिक्त अभी इस विषय में जनमत बिना जाने सरकार कुछ नहीं करना चाहती। बड़ी कौंसिल में जिस बिल का पेश होने की इजाजत दी गयी है वह अधिक व्यापक है तथा उसमें प्रान्तीय संकुचितता नहीं है। इसके अतिरिक्त बड़ी कौंसिल में भी, सरकार, इस बात की पूरी चेष्टा करेगी, कि काफी समय तक इस पर विचार करने के बाद हिन्दूमत संगठित हो सके। इसके अलावा, वाइसराय की यह भी घोषणा है कि एक प्रस्ताव

पेश होने देने की इजाजत देकर और एक को न देकर सरकार अपने को किसी पक्ष या विपक्ष का नहीं व्यक्त करना चाहती। वही किया जा रहा है जो उचित था।

इस विषय में, प्रथम इसके कि हम अपनी राय जाहिर करें, 'लीडर' पत्र के दिल्ली-स्थित विशेष संवाददाता का इस 'वाइसरायी फ़रमान' पर विचार दे देना उचित होगा। उस निर्भीक संवाददाता के मताअनुसार सरकार अस्पृश्यता निवारण आन्दोलन को काँग्रेस की एक राजनैतिक चालबाज़ी समझती है तथा उसके विचार में अस्पृश्यता निवारण का शोर मचाकर काँग्रेस अछूतों को अपने पन्जे में कर, कौंसिलों में उनको अपने साथ रखने की चाल खेल रही है। वाइसराय के मन्दिर प्रवेश बिल की नामन्जूरी का यही रहस्य है। रंगा अय्यर के बिल को अधिक निर्दोष समझा गया है क्योंकि उसमें केवल 'जाति-प्रथा' के विरुद्ध ही नियम बनाया गया है। वाइसराय जानते हैं कि यदि वे मद्रास के बिल को नामंजूर करेंगे तो उनको दुनिया भर बुरा कहेगा, यदि स्वीकार कर लेंगे तो काँग्रेस की चाल सफल हो जाएगी, इसीलिए रंगा अय्यर के निर्दोष बिल को इजाजत दी गयी है कि बदनामी बची रहे, पर सरकार जानती है कि बड़ी कौंसिल में उनकी जितनी शक्ति है, उससे वे कमेटी आदि में बिल को भेजकर एक वर्ष वा छः महीने तक डाले रहेंगे। इसका फल यह होगा कि इतना समय बीत जाने पर काँग्रेस की राजनैतिक चाल असफल हो जावेगी। आगे जो उचित समझा जावेगा, किया जावेगा।

इस भीतरी बात के उद्घाटन के बाद हम अपनी ओर से और क्या मिलावें। इस आर्डिनेन्स के युग में, स्पष्ट वक्ता होना भी पाप है। पर हम इतना तो कह ही सकते हैं कि यदि लीडर के संवाददाता का अनुमान सत्य है तो इसके साथ ही यह भी कल्पना की जा सकती है कि सरकार यह देख रही है कि मन्दिर-प्रवेश के सम्बन्ध में मूढ़ सनातनियों का एक भाग गाँधी जी के तथा काँग्रेस के विरुद्ध होकर सूर्य पर थूकने का प्रयास कर रहा है। काँग्रेस हिन्दुओं की ही संस्था-सी रह गयी है। अतएव सरकार सोचती है कि मन्दिर प्रवेश की समस्या में जड़वादियों का साथ देने से वह मूढ़ सनातनियों का सहयोग प्राप्त कर लेगी तथा इस प्रकार काँग्रेस में भी गहरी फूट पैदा हो जावेगी। किन्तु, यह सरकार का भ्रम है। हम बार-बार लिख चुके हैं कि दो एक ऐसे नगरों को छोड़कर जहाँ मुफ्त में भोजन मिलता है और कहीं ऐसे सनातनी नहीं हैं जो हरिजनों को मन्दिर प्रवेश न करने देना चाहते हों या गाँधीजी के विरुद्ध हों। वाइसराय की अस्वीकृति से जनता को ही नहीं, संसार को यह प्रकट हो गया है कि काँग्रेस हो या जनता हो, वह हरिजनों की अधिक हितचिन्तक है, सरकार ही प्रगति में बाधा डाल रही है। वाइसराय के पास जहाँ करोड़ों हिन्दुओं की यह प्रार्थना भेजी जा चुकी

है कि मन्दिर प्रवेश सम्बन्धी कानून विचारार्थ पेश होने दें, वहीं कुछ मुट्ठीभर सनातनियों की विरोधी आवाज को यह महत्त्व देकर, यह कहना कि अभी लोकमत नहीं मालूम हुआ है, सरकार पहले पूरी जाँच करना चाहती है, अपने को तथा अपनी आत्मा को धोखा देना है तथा वाइसराय ऐसे उच्च पदाधिकारियों को शोभा नहीं देता।

वाइसराय जिस बात को 'नहीं' कहते हैं, उसे वे 'हाँ' नहीं कहते। अत: मद्रास का बिल पास तो हो गया। अब देखना है कि बड़ी कौंसिल में क्या बाधा पेश की जाती है। इस गलत नीति से सरकार के प्रति बहुमत का असन्तोष तो बढ़ेगा ही, इसके साथ ही, मूढ़ सनातनियों के हर्ष से जनता और भी क्षुब्ध हो उठेगी। परद्रव्य-जीवी चाहे जितना भी धर्म-ध्वजी, सनातनधर्म की जान बनें, जनता इसके रहस्य को जानती है, और बिल हो या न हो, वह महात्माजी के कथनानुसार हरिजनों की सेवा का पूरा कार्य करेगी, और सरकार भी सहयोग न दे तो क्या, सुधारक तो अपना काम पूरा करेंगे ही।

30 जनवरी 1933

श्री देवदास गाँधी का उपदेश

त्रिवेन्द्रम में हरिजन-सेवा का उपदेश देते हुए श्री देवदास गाँधी ने विद्यार्थियों को यह चेतावनी दी थी कि एक अवसर वैसा भी आ सकता है जब महात्मा गाँधी उनसे यह कहें कि पढ़ाई छोड़कर, स्कूल और कॉलिज से निकल जाओ और हरिजनों की सेवा करो। अभी हाल ही में 'लीडर' में भी ईश्वरशरण का एक पत्र छपा था। जिसमें उन्होंने विद्यार्थियों से अपील की थी कि वे अपने वाद-विवाद में हरिजनों की समस्या को विचारार्थ रखा करें तथा विचार-विनिमय कर इस विषय में लोक-रुचि तथा लोक-अज्ञान क्रमशः बढ़ावें और घटावें। विद्यार्थियों से हरिजनों की सेवा का कार्य बड़ी तत्परता से हो सकता है। इसमें कोई सन्देह नहीं है। पर, हम यह नहीं चाहते कि वे इसके लिए पढ़ाई छोड़ दें। अपने अवकाश के समय ही, आनेवाली गर्मियों की छुट्टियों में ही, यदि उन्होंने इसी कार्य को किया तो इसमें कोई सन्देह नहीं कि महात्मा जी का काम पूरा जो जाएगा। वाइसराय के बिल की अस्वीकृति के कारण अब हरेक हरिजन हितैषी को बड़ी तत्परता से, बिल कानून की सहायता के, हरिजनों की समूची बाधाएँ हटवा देनी होगी और विद्यार्थियों की सहायता की बड़ी जरूरत है।

30 जनवरी, 1933

श्री देवरुखकर की हार

श्री देवरुखकर हरिजन हैं और हरिजनों की ओर से बम्बई कारपोरेशन के चुनाव के लिए खड़े हुए थे। लेकिन उनका मुकाबला एक हिन्दू सज्जन से हो गया और वह इस बुरी तरह हारे कि उनके जमानत के रुपये भी जब्त हो गये। बम्बई में इस हार से हरिजन समाज में बड़ी हलचल मची हुई है। महात्मा गाँधी से प्रार्थना की गयी है कि वह इस प्रश्न को अपने हाथ में लें और जीते हुए हिन्दू सज्जन को इस्तीफा देने के लिए मजबूर करें। ऐसी घटनाएँ और भी कई जगह हो चुकी हैं। देहली और कानपुर में भी हरिजन मेम्बरों की हिन्दुओं के मुकाबले में हार हुई थी। लेकिन बाद को जनमत के दबाव से हिन्दू मेम्बरों को इस्तीफा देना पड़ा। वैसा ही दबाव इस अवसर पर भी पड़ सकता है। लेकिन इस तरह जब एक आदमी चुनाव की सारी परेशानी और ज़ेरबारी झेलकर जीते तो उसे अलग कर देना अन्याय है। क्या ऐसा नहीं किया जा सकता कि पहले से कुछ निश्चय कर लिया जाए कि पीछे से हटने-हटाने का झंझट ही मिट जाए। अभी बोर्ड या म्युनिसिपैलिटी में हरिजनों की संख्या नहीं के बराबर है। कोई हिन्दू उनके मुकाबले में खड़ा ही क्यों हो। उनकी निश्चित संख्या आ चुकने के बाद तब मुकाबला किया जा सकता है। अगर सजातीय हिन्दू इस तरह हरिजन उम्मीदवारों को हतोत्साह करते रहेंगे तो आपस में वैमनस्य और असन्तोष बढ़ेगा और पूना के समझौते का जो उद्देश्य था वह गायब हो जाएगा।

10 अप्रैल, 1933

महात्मा जी का व्रत

महात्मा गाँधी ने 8 मई से इक्कीस दिन का व्रत रखने का निश्चय किया है और उनके निश्चय कितने अटल होते हैं, यह हम सभी जानते हैं। हरिजनों के उद्धार के विषय में जब उन्होंने अनशन किया था, उस समय उन्होंने कहा था—यदि आवश्यकता हुई, तो वह फिर व्रत रखेंगे। पर वह आवश्यकता इतनी जल्दी आ जाएगी, यह हमारा अनुमान न था। इसके पहले दोनों व्रतों का विशेष उद्देश्य था। उस उद्देश्य के पूरा होते ही उन व्रतों का अन्त हो गया। उन अवसरों पर जनता को अधिक कार्यशील होने की उत्तेजना मिली थी। वह जानती थी, उसे क्या करना है। अगर हिन्दू-मुस्लिम एकता की समस्या थी, तो उस समस्या को हल करने में अपनी तत्परता दिखाकर; यदि हरिजनों के मताधिकार का प्रश्न था तो वह अधिकार स्वीकार करके, वह व्रत का अन्त कर सकती थी। उसे अपना लक्ष्य सामने नजर आता था; पर यह व्रत उनके काबू से बाहर है। यह अपनी पूरी अवधि भर चलेगा, तत्परता या संगठन या सच्चाई का प्रमाण इसे नहीं तुड़वा सकता।

जहाँ तक हमें ज्ञान है, इस बीच में दृश्य रूप से ऐसी कोई बात नहीं, जो इस व्रत का कारण कही जा सके। हरिजनों के उद्धार का काम समस्त देश में हो रहा है। उन्हें गन्दे मकानों से निकालकर स्वच्छ मकानों में रखने की, उनसे मेलजोल बढ़ाने की कोशिश बराबर हो रही है। शिक्षित समाज अपनी पुरानी गलतियों को सुधारने में लगा हुआ है। उच्च कुल के व्यक्ति पंजे और झाड़ू लिये गलियों और पाखानों की सफाई कर रहे हैं, काँग्रेस का प्रोग्राम एक प्रकार से स्थगित हो गया है और उसकी अधिकांश शक्ति अछूतोद्धार के काम में रत है। यद्यपि यह यथार्थ है कि अभी जो कुछ हो रहा है, उसमें दिखाने का भाव ही प्रधान है, और दिलों की सफाई का महात्मा जी के शब्दों में, आत्म-शुद्धि, अभी बहुत दूर की बात है; पर इसमें सन्देह नहीं है कि मकान की नींव पड़ गयी है और इस प्रश्न ने जनमत को अपनी ओर खींच लिया है। सनातन-धर्म के

अनुयायियों में भी ऐसे बहुत थोड़े सज्जन रह गये हैं, जो हरिजनों के उत्थान का महत्त्व न समझते हों; राजनैतिक महत्त्व नहीं, धार्मिक और आध्यात्मिक महत्त्व। नगरों में सनातनी भाइयों के जुलूस निकलते हैं; पर जनता उनकी उपेक्षा करती है, उन पर तालियाँ बजाती है। हिन्दुत्व अब कहीं नजर आता है, तो गुंडों में, जो कभी-कभी हरिजन-समाजों में विघ्न डालने की चेष्टा करते हैं; पर मुँह की खाते हैं। फिर हम जैसे सांसारिक बुद्धि के प्राणी इस व्रत का मर्म क्या समझ सकते हैं। हाँ महात्मा जी के इन शब्दों से, जो उन्होंने एक प्रेस-प्रतिनिधि के एक प्रश्न के जवाब में कहे, हम उस विषय में कुछ कयास अवश्य दौड़ा सकते हैं—

'मेरे इस निश्चय का दायित्व किसी एक व्यक्ति पर नहीं; पर निःसन्देह यह बहुत दिनों से होनेवाली घटनाओं का परिणाम है। यह बात नहीं है कि मैं पहले अन्धा था। वे मूक और अज्ञात भाव से मेरे मन को प्रभावित करती चली जाती थीं।'

तो क्या इस व्रत का कारण बंगाल के हिन्दुओं का पूने के समझौते से विरोध है? या यह उन पत्रों का असर है, जो महात्मा जी के पास पहुँचते रहे हैं और जिनमें वह आक्षेप किया जाता रहा है कि यह महात्मा जी की राजनैतिक चाल है। महात्मा जी कहते हैं—

'जब राष्ट्र में सुधार का कोई वृहद् आन्दोलन होने लगता है, तो उसे अधिक गतिवान और पवित्र बनाने के विचार से लोग उपवास करते हैं।'

आगे आपने यह भी कहा है—

'किसी धार्मिक आन्दोलन की सफलता उसके अनुयायियों की बौद्धिक क्षमता पर नहीं, वरन् पूर्ण रूप से आध्यात्मिक साधनों पर अवलम्बित होती है। व्रत उन साधनों का सबसे बड़ा सहायक है।'

इन वाक्यों की गम्भीरता सर्वमान्य है। महात्मा जी ने हमेशा अपनी भूलें स्वीकार की हैं। उनका बड़प्पन बहुत कुछ उनके इस सत्य-प्रेम ही के कारण है। वह अब भी अपनी भूल स्वीकार करने को तैयार हैं, यदि कोई उन्हें यह विश्वास दिला दे कि वे भूल कर रहे हैं। पर हमें तो ऐसा आदमी नजर नहीं आता, जो महात्मा जी को उनकी भूल का विश्वास कराये। हमें तो अपने कर्त्तव्य पर दृढ़ रहना चाहिए। महात्मा जी को इस कठिन परीक्षा में हम जो सहायता दे सकते हैं, वह यही है कि स्वयं आत्म-शुद्धि का यत्न करें। महात्मा जी शब्दों में कहें या न कहें, पर यह स्पष्ट ही है कि वह उद्धार की वर्तमान प्रगति से असन्तुष्ट हैं, और उसे अधिक सजीव बनाने का साधन उनके पास केवल यही

है कि राष्ट्र की आत्मा में शुद्धि का संचार करें, और इसका साधन अपनी आत्म-शुद्धि के सिवा और क्या हो सकता है। महात्मा जी उन लोगों में नहीं हैं, जो दूसरों पर जिम्मेदारी रखकर आप संतुष्ट हो जाएँ। वह आत्मा की व्यापकता का अनुभव कर चुके हैं। और उसी शक्ति से हम निर्जीव अकर्मण्यता पर विजय पा सकते हैं। हमारी ईश्वर से यही प्रार्थना है कि सद्बुद्धि और प्रकाश दें।

8 मई, 1933

महान तप

तपस्वी गाँधी ने सोमवार आठ मई से, अपना महान व्रत आरम्भ कर दिया। हमारे ये इक्कीस दिन इक्कीस युग की भाँति कटेंगे। समस्त भारत की आँखें उसी ओर लगी रहेंगी। सोते-जागते, हमें वही ध्यान रहेगा। प्रात:काल हम बड़े उतावलेपन के साथ समाचार-पत्र खोलेंगे और धड़कते हुए हृदय से महात्मा जी के तप के समाचार देखेंगे और अन्त में जब इक्कीस दिन का प्रभात आएगा, उस दिन राष्ट्र का हृदय कितनी तेजी से धड़केगा और व्रत के सकुशल समाप्त होने पर कितने वेग से उछलेगा, कितने उन्माद से नाचेगा। यह वह व्रत है, जो त्यागमूर्ति पं. जवाहरलाल जी के शब्दों में, विफल हो ही नहीं सकता। यह वह संग्राम है, कि इधर तलवार हाथ में ली और विजय हाथ बाँधे आकर सामने खड़ी हो। महात्मा ईसा ने सलीब पर चढ़कर ही संसार को विजय किया, सुकरात ने जहर का प्याला पीकर ही मिथ्या पर विजय पाई। दस कदम आगे बढ़ने को विजय और दस कदम पीछे हटने को पराजय कहना भौतिक जगत की बात है। अब अध्यात्म जगत में साधना ही विजय है। साधना से रक्त की नदी नहीं बहती, जीवन का स्रोत निकलता है और सम्पूर्ण जगत को स्फूर्ति से भर देता है।

यह व्रत हमें महात्मा ईसा के उस चालीस दिन के व्रत की याद दिलाता है, जो उन्होंने आत्म-शुद्धि के लिए अपने धर्म का प्रचार करने के पहले किया था। चालीसवें दिन जब व्रत समाप्त हुआ, उनकी आत्मा ईश्वरता को प्राप्त हो चुकी थी। शैतान आकर उसे तरह-तरह के प्रलोभन देता है, तरह-तरह से परीक्षा में डालता है, पर वह आत्मा अविचलित है, उस पर न लोभ का जादू चलता है, न धमकियों का। वह आत्म-शुद्धि की वह शक्ति थी जिसने असंख्य निराशों को आशा और पीड़ितों को औषधि प्रदान की, जिसने कई सदियों तक ऊँच-नीच, छोटे-बड़े का भेद मिटा दिया, जिसने पतितों का उद्धार किया। यह तपस्या भी उतनी ही महत्त्वपूर्ण है।

क्या अब भी हम अपने बड़प्पन का, अपनी कुलीनता का ढिंढोरा पीटते

फिरेंगे। यह ऊँच-नीच, छोटे-बड़े का भेद हिन्दू-जीवन के रोम-रोम में व्याप्त हो गया है। हम यह किसी तरह नहीं भूल सकते, कि हम शर्मा हैं, या वर्मा, सिन्हा हैं या चौधरी, दूबे हैं या तिवारी, चौबे हैं या पाण्डे, दीक्षित हैं या उपाध्याय। हम आदमी पीछे हैं, चौबे या तिवारी पहले। और यह प्रथा कुछ इतनी भ्रष्ट हो गयी है, कि आज जो निरक्षर भट्टाचार्य हैं, वह भी अपने को चतुर्वेदी या त्रिवेदी लिखने में जरा भी संकोच नहीं करता। वह अपने पुरुषार्थों की साधना के बल पर आज भी चतुर्वेदी बना हुआ है, पर जिसने वेदों का अध्ययन किया है, उसे यह अधिकार नहीं है कि वह अपने को चतुर्वेदी कह सके। कोई आदमी कुरान कंठ करके हाफिज़ हो सकता है, लेकिन यहाँ जो वेदों के ज्ञाता हैं, वे चतुर्वेदी नहीं कहे जा सकते। चतुर्वेदी तो वे हैं, जिन्होंने वेदों के दर्शन भी नहीं किये। यह और कुछ नहीं, अपनी कुलीनता का ढिंढोरा पीटना है, अपने अहंकार का बिगुल बजाना है। हम अपने को त्रिवेदी लिख कर मानों गला फाड़कर चिल्लाते हैं, कि "हम और सब प्राणियों से ऊँचे हैं, हमें दंडवत करो, हमारा चरण-रज माथे पर लगाओ।" हम इतने लज्जा-शून्य हो गये हैं।

होना तो यह चाहिए कि यदि हममें बड़प्पन की कोई बात हो तो भी, उसे छिपावें। बड़प्पन तभी बड़प्पन है, जब उसमें नम्रता हो। जिस बड़प्पन में अहंकार भरा हुआ हो, वह बड़प्पन नहीं कुछ और है। त्रिवेदी जी ने वेदों के दर्शन भी नहीं किये, लेकिन गलती से आप उन्हें त्रिवेदी न कहें, तो फिर देखिए आपकी क्या गति होती है। त्रिवेदी जी हाथ-पाँव के मजबूत हैं, तो आपको शीघ्र ही अपनी गलती का मज़ा मिल जाएगा, नहीं तो उनका कोप कहीं नहीं गया है। कुलीनता के इस अहंकार को हमें अपने अन्दर से निकाल डालना होगा। तभी हम सम-भाव से एक-दूसरे को देख सकेंगे। ऐसे अल्लों से हमारे भेद-भाव को उत्तेजना मिलती है। त्रिवेदी-त्रिवेदी एक हो जाते हैं, चौबे-चौबे एक, कपूर-कपूर एक, कायस्थ-कायस्थ एक। इस भेदभाव से ऊँच-नीच की श्रेणियाँ बनी हुई हैं। कोई पहले डंडे पर, कोई सबसे ऊपर, पर हैं सब उसी एक अहंकार-सूत्र में बँधे हुए। समाज संगठन ही इसी भेद रचना से हुआ है। हम नहीं समझते, अपने नाम के साथ कुलीनता की पदवियाँ न लगाने से समाज की क्या हानि होगी। हम ब्रह्मनाथ हैं। इससे क्या कि हम त्रिवेदी हैं या कपूर, या माथुर, या चन्देल। अगर किसी को घमंड हो कि हम चन्देल-वंश के हैं, हमारे बाप-दादे बड़े वीर थे, तो फिर दूसरों को यह घमंड क्यों न हो कि हम त्रिवेदी हैं और हमारे लकड़दादा ने वेद पढ़े थे। लकड़दादों का कमाया हुआ यश बहुत दिन भोग चुके, अब उसका त्याग करना पड़ेगा। जब हम अपने को मिश्र या कपूर, या टंडन, या माथुर कहते हैं, तो मानो हम अपने को समाज से अलग कर लेते हैं। ये सारे अल्ल उस पृथकता

का पालन करते हैं। अगर हम भूल जायँ कि हम पांडे या तिवारी हैं, तो हम सम्भवतः दूसरों के सामने नम्र हो जाएँगे। तिवारी का कवच पहनकर तो मानो हम सम्पूर्ण समाज से लड़ने को तैयार हो जाते हैं।

हमारे अभिवादन की प्रथा भी उसी भेदभाव से जकड़ी हुई है। तिवारी जी की अभी जुम्मा-जुम्मा आठ दिन की पैदाइश है, दूध के दाँत भी नहीं टूटे, लेकिन वह किसी के सामने सिर नहीं झुका सकते। अब्राह्मण चाहे अस्सी साल का बूढ़ा ही क्यों न हो, उसका धर्म है कि तिवारी जी को दंडवत करे, उसके चरण छुए, नहीं तिवारी जी अपना अपमान समझेंगे। यह दंडवत की समस्या भी आयु के आधार पर, या अन्य किसी आधार पर ही करनी होगी। उसका साम्प्रदायिक आधार नष्ट करना होगा। जब पूज्य गाँधी जी इस भेदभाव को मिटाने के लिए अपने प्राणों का बलिदान कर रहे हैं, तो क्या हमारा धर्म नहीं है कि हम भी इस अहंकारमय मनोवृत्ति का परित्याग करें? अगर कोई बूढ़ा हरिजन है, तो उसे हमारे सम्मान का पात्र होना चाहिए। अबे-तबे करके किसी को पुकारना उसका अपमान करना है। मूर्खों से तो नहीं, पर जो पढ़े-लिखे हैं उनसे यह आशा की जाती है कि हरिजनों के साथ वे शिष्टता का व्यवहार करें। बड़प्पन दूसरों को नीच समझने में नहीं, सज्जनता और शिष्टता में है। हमें इन छोटे-छोटे भेद-पोषक साधनों का संस्कार करना होगा, उन्हें उस अग्निकुण्ड में डालना होगा, जो महात्मा गाँधी ने अपने तेज से प्रज्ज्वलित किया है। एक दिन झाड़ू हाथ में लेकर सड़कों पर तमाशा कर देने से यह अहंकार न मिटेगा, जो हरिजनों के अछूतपन का मुख्य कारण है। इसकी गहरी जड़ों को खोदकर समाज से निकालना होगा। हमारी ईश्वर से यही दीन प्रार्थना है कि भारत के प्राण गाँधी के इस तप को सफल कीजिए और हमें सामर्थ्य दीजिए कि हम सच्चे मन से उनके इस तप को सफल बनाने और उनके द्वारा अपने को अहंकार की बेड़ियों से मुक्त करने में कृतकार्य हों।

15 मई, 1933

मन्दिर प्रवेश और हरिजन

महात्मा जी के व्रत तथा तप का एक बड़ा कारण यह भी है कि हरिजनों को मन्दिर-प्रवेश का अधिकार एक प्रकार से शून्य के बराबर मिला है। लाखों मन्दिरवाले इस महादेश में, कुछ मुट्ठीभर और केवल साधारण मन्दिर ही ऐसे हैं, जहाँ वे दर्शनार्थ जा सकते हैं। हम स्वयं किसी भी तर्क द्वारा यह बात समझ नहीं सकते कि हाड़-मांस की देहवाला, हिन्दू-धर्म पर अभिमान करनेवाला कोई हरिजन काशी विश्वनाथ या किसी वैसे ही पवित्र मन्दिर में क्यों नहीं प्रवेश पा सकता, जब कि स्थान-स्थान पर मल-मूत्र विसर्जन करनेवाला साँड़ मन्दिर में दर्शनार्थियों पर सींग चलाता हुआ स्वच्छन्दतापूर्वक घूम सकता है। इस प्रकार की हठधर्मी का अब युग नहीं है और उच्च वर्णवालों को ईश्वर को भी 'स्त्री के समान अपनी ही वस्तु' समझने की मूर्खता का परित्याग करना चाहिए।

पर, इसके साथ ही, किसी भी तर्क द्वारा हम यह नहीं समझ सकते कि अस्पृश्यता-निवारण-आन्दोलन में मन्दिर-प्रवेश को एक अनिवार्य स्थान क्यों दिया जा रहा है। समय की जैसी प्रगति है, इन मन्दिरों की इस समय जैसी दशा है, उसे देखकर तो यही कहना पड़ेगा कि हमारे हिन्दू-मन्दिर भोग और प्रसाद, पुरोहित और पंडे, ईश्वर के नाम पर व्यभिचार तथा दुराचार करनेवाले स्वार्थी और लोलुप—दर्शन करने जानेवालों से यह पहला प्रश्न करनेवाले कि पैसा चढ़ाओ—पामरों के अड्डे मात्र हैं। मन भर दर्शन करने नहीं पाइयेगा कि पुजारी जी पैसा चढ़ाओ की रट लगा देंगे। जी-भर भगवान के रूप का ध्यान भी न कर पाइयेगा कि चार-पाँच आदमी जबरदस्ती आपके सर में चन्दन, सिन्दूर-रोली रगड़ने लगेंगे और पैसा माँगते-माँगते आपकी टेंट भी टटोलना शुरू कर देंगे। हमने भगवान को मनौती से, घूस से, पैसे से, दक्षिणा से प्रसन्न होनेवाला स्वार्थी बना रखा है। पग-पग पर हम पैसा देकर मुक्ति, नजात तथा स्वाधीनता खरीदना चाहते हैं। यह हमारा धर्म है, भक्ति है, अनुराग है। ऐसी दशा में मन्दिरों की इतनी महत्ता व्यर्थ की है। हम मूर्ति-पूजा के विरोधी नहीं, टका-पूजा के शत्रु हैं।

हरिजनों के मन्दिर-प्रवेश के शत्रु अधिकांशतः वे लोग हैं, जो उनकी दरिद्रता को उपहास की, मजाक की वस्तु समझते हैं, जो यह जानते हैं कि इन दरिद्रों के मन्दिर जाने न जाने से विशेष लाभ या हानि नहीं होती है। महात्मा जी के उपवास से देश में हरिजन आन्दोलन की बाढ़-सी आ गयी है पर हरिजन सेवा का कार्य अवश्य बढ़ गया है। कार्यकर्ता वही पुराने हैं और, हमें खेद के साथ लिखना पड़ता है कि महात्मा जी के इस व्रत के दिनों में भी हरिजनों के लिए मन्दिरों का द्वार खुलने की संख्या नगण्य-सी है।

एक ओर विश्व की विभूति अपने प्राणों की बाजी लगाकर समाज के परित्यक्त अंग की रक्षा करने की तपस्या कर रही है—और दूसरी ओर हमारे धर्म तथा देवताओं के ठेकेदार अपनी जड़ता, अहम्मन्यता तथा अकड़ पर दृढ़ हैं। ऐसी दशा में जो होना था, उसी के लक्षण दीख पड़ रहे हैं। गाँधी जी ने स्वयं सलाह दी थी कि यदि हरिजनों के लिए मन्दिरों के द्वार अन्य किसी प्रकार न खोले जा सकेंगे तो सत्याग्रह की शरण लेनी पड़ेगी। गाँधी जी के लिए सत्याग्रह ही पवित्र तथा अन्तिम अस्त्र है, जिससे अन्याय का प्रतिकार किया जा सकता है। पर, साधारण व्यवहार में इस अस्त्र से बड़ी कटुता उत्पन्न होने की सम्भावना है और 'साम्प्रदायिक-युद्ध' तथा 'वर्ग-युद्ध' की भयंकर आँधी में देश के जर्जर होते जाने की आशंका है। पर, इस समय कट्टरपन्थियों की जड़ता देखकर, ऐसा लक्षण प्रकट हो रहा है कि सुधारक मन्दिरों के बहिष्कार तक का आन्दोलन करने का विचार कर रहे हैं। बम्बई के 'फ्री प्रेस जर्नल' में इस विषय पर एक छोटा-सा, विचारणीय लेख प्रकाशित हुआ है। लेखक के शब्दों में....

''मन्दिरों के द्वार खोलने के विषय में जनता की ओर से तत्परता के अभाव का जो भी कुछ कारण हो, जो लोग हरेक प्रकार के छुआछूत को दूर करना चाहते हैं, उनको किसी प्रभावशाली रूप में यह दिखलाना पड़ेगा कि उनका उन मन्दिरों के साथ कोई सम्पर्क नहीं है, जो अपना द्वार हरिजनों के लिए बन्द रखते हैं। महात्मा जी ने स्वयं इस विचार पर जोर दिया है। महात्मा जी ने हरिजन-सेवक-समिति के इस विचार को स्वीकार किया है कि वो इस बात को भी अपने छुआछूत-निवारक कार्यक्रम का एक अंग बना लें। यह अवश्य है कि इस प्रकार का कोई कार्य करने के पहले पूरी तरह से सचेत कर देना चाहिए। ऐसे कार्य का अर्थ होगा मन्दिर का बहिष्कार; पर इस बहिष्कार से लोकेच्छा के प्रवाह का पता चलेगा। विशेषकर उस स्थान के लोगों की इच्छा का पता चलेगा, जहाँ अधिकांश मन्दिर जानेवाले यह अनुभव करते हैं कि ऐसे मन्दिर में दर्शनार्थ जाना अधार्मिक है जो उसी मूर्ति के पुजारी हरिजनों को दर्शनार्थ नहीं जाने देते।''

लेखक चाहता है कि उपवास के दिनों में ही ऐसा सत्याग्रह शुरू हो जाता;

पर हर्ष का विषय है कि इस दिशा में इतनी जल्दी नहीं की गयी। यह एक गम्भीर समस्या है और इसे अन्तिम अस्त्र बनाना चाहिए। किन्तु धर्म के ठेकेदार, भिक्षावृत्ति से जीनेवाले, क्षेत्र में भोजन कर, मुफ्त का माल मारकर, दुराचार तथा अनाचार से पेट की रोटी चलाकर, आडम्बर, पाखण्ड, स्वार्थ तथा पैसे की पूजा करनेवाले क्या अब भी सचेत न होंगे? बहिष्कार बड़ी भयंकर, बड़ी कठोर, बड़ी भयावह वस्तु है। इसका सामना करना साधारण बात नहीं है। खीझकर सुधारक-समुदाय अब बहिष्कार की बात सोच रहा है। अतः हम मन्दिरों के संचालकों से, यदि उनमें असली धार्मिकता अवशिष्ट है, उस धार्मिकता से, नेकनीयती तथा सच्चाई के नाते यह अनुरोध करते हैं कि अब दम्भ छोड़ दें और समय के साथ चलना सीखें। देश को भावी धार्मिक उत्क्रान्ति से बचा लें, अन्यथा अनर्थ हो जाने की सम्भावना है।

हमारे इस अंक के प्रकाशित होने तक पर्णकुटी के तपस्वी का व्रत भी सकुशल समाप्त हो जावेगा। यह राष्ट्र के लिए एक आनन्द का, पर्व का, त्योहार का दिन होगा और इसी दिन यह सिद्ध हो जाएगा कि मुफ्त का मलपुआ खाकर पेट भरनेवाला पुरोहित हमारा असली धार्मिक नेता नहीं है; पर अपना हाड़-चाम निचोड़नेवाला गाँधी ही भारत का असली धार्मिक नेता है। वह हमारा धार्मिक नेता है—और उसके उपवास के पूरा होने के दिन हमारे जड़ सनातनी अपने दम्भ को फेंक देने का महान कार्य खूबसूरती तथा सफाई के साथ कर सकते हैं।

धार्मिक विचार जो कुछ भी हो, समय एक बलवान वस्तु होती है। और हमारी तो यही सलाह है कि समय की महत्ता को स्वीकार करना ही सबसे बड़ी बात है।

29 मई, 1933

कानपुर को बधाई

कानपुर-म्युनिसिपैलिटी ने हरिजनों के मकानों के लिए जितनी उदारता से लगभग डेढ़ लाख रुपये की व्यवस्था कर दी है, उस पर हम उसके चेयरमैन मि. ब्रजेन्द्र स्वरूप को बधाई देते हैं। हरिजनों के उद्धार का काम रुपये में पन्द्रह आने हमारी म्युनिसिपैलिटियों पर निर्भर है। अगर यह संस्थाएँ अपने मेहतरों और डोमों के लिए ऐसी सुविधाएँ पैदा कर दें, जिनसे वे आसानी से सफाई का काम कर सकें, अच्छे और साफ मकानों में रह सकें, अच्छा भोजन और वस्त्र पा सकें, और अपने बच्चों को मदरसों में भेज सकें, तो हरिजन समस्या बहुत कुछ हल हो जाती है। अब तक तो इन संस्थाओं का हरिजनों की ओर ध्यान ही न था। बेचारे पाखानों के पास, दुर्गन्धमय मकानों में पड़े रहते थे। अगर नगरों में ज्यादा अच्छे ढंग के शौच-गृह बनवाये जाएँ तो उनकी सफाई भी आसानी से हो जाए और यह काम इतना घृणास्पद भी न रहे।

19 जून, 1933

महात्मा गाँधी फिर अनशन कर रहे हैं

महात्मा गाँधी ने सरकार से प्रार्थना की थी कि जेल में उन्हें पूर्ववत् हरिजनों के उद्धार का काम करने की स्वाधीनता दी जाए। सरकार ने कुछ शर्तों के साथ महात्मा जी की प्रार्थना स्वीकार कर ली है। हमें आशा है कि सरकार ने ऐसी शर्तें न लगाई होंगी, जो मुख्य काम में बांधा होने के कारण महात्मा जी को सन्तुष्ट न कर सकें। यदि अबकी महात्मा जी ने फिर अनशन किया, तो उनका जीवन संकट में पड़ जाएगा, और हमें विश्वास है, सरकार सब कुछ होने पर भी इतना बड़ा कलंक लेना पसन्द न करेगी। राष्ट्र की दृष्टि में महात्मा जी की यह प्रार्थना सर्वथा न्यायानुकूल है। यह ऐसा काम है, जिसे उनके सिवा कोई दूसरा नहीं कर सकता और सरकार इस शुभ कार्य में उन्हें सहयोग देकर सम्पूर्ण राष्ट्र की कृतज्ञता प्राप्त कर लेगी। अगर उसने ज़ाब्ते और दफ़्तरी उलझनों के कारण उनकी प्रार्थना अस्वीकार कर दी तो जनता में वह असन्तोष होगा, जो एक हजार आर्डिनेन्सों से भी न होगा।

21 अगस्त, 1933

बरेली में हरिजन-सभा

बरेली में हरिजनों की सरकारी सभा बड़ी धूम-धाम से हो गयी है। प्रतिनिधियों के लिए आने-जाने का किराया मिला और सुना जाता है, वहाँ उनकी दावत का भी अच्छा प्रबन्ध था। इससे आशा है, डेलीगेटों की संख्या भी काफी होगी। राष्ट्र की जागृति ने प्रान्तीय सरकार को भी सचेत कर दिया, यह इस आन्दोलन की छोटी फतह नहीं है। जिस सरकार ने हरिजनों को कुचलने में हिन्दू-समाज से चार कदम आगे ही पाँव रखा, वह आज उनकी शिक्षोन्नति में इतनी मुस्तैद है, यह बहुत बड़ी बात है। हमें आशा है हमारे हुक्काम अब दौरे पर जाएँगे तो चमारों और मेहतरों से जरा भलमन्सी का व्यवहार करेंगे। यह तो कोई अच्छा दृश्य न होगा कि लड़का तो पड़ोस के मिडिल स्कूल में तीन रुपये महीना वजीफ़ा पाये और उसके माँ-बाप साहब बहादुर को वक्त पर घास या ईंधन न देने के अपराध में पिटवाए जाएँ। इन छोटी-छोटी खातिरदारियों से सरल हृदय हरिजनों को बड़ी आसानी से अपना गुलाम बनाया जा सकता है। पैंतालीस हजार रुपये ही तो वजीफों में खर्च होंगे। काम कितना बड़ा हुआ जाता है। आनेवाली अवस्था में सरकारी मेम्बर तो होंगे नहीं, फिर आखिर गवर्नमेंट क़िसके बल पर चलेगी? सरकार अभी से अपनी तैयारियों में लगी हुई है। समाज की ओर से हरिजनों के लिए जो उद्योग किये जाते हैं, उनकी मदद करना उसकी नीति के विरुद्ध होगा। उस दशा में तो यश समाज के सेवकों को मिलेगा। सरकार इतना बड़ा त्याग नहीं कर सकती। वह हरिजनों के लिए जो कुछ भी करना चाहती है, अपरोक्ष रूप से करेगी। मिनिस्टर साहब ने फरमाया है कि यह निखालिस तालीमी कोशिश है। हम भी चाहते हैं कि ऐसा ही हो और प्रसन्न हैं कि गवर्नमेन्ट की धर्म चेतना वास्तविक रूप से जाग उठी है और वह सच्चे हृदय से हरिजनों की तरक्की चाहती है।

18 सितम्बर, 1933

क्या हरिजन आन्दोलन राजनैतिक है?

हरिजन आन्दोलन को साम्प्रदायिक मुसलमानों ने आदि से ही सन्देह की दृष्टि से देखा है और अब भी उनकी इस आन्दोलन से सहानुभूति नहीं है। उन्हें इसमें राजनीति का गन्ध आता है। डॉ. सर मुहम्मद इकबाल ने अपने वक्तव्य में इस ओर संकेत भी किया था। डॉ. सर मुहम्मद इकबाल के उसी आक्षेप के जवाब में महात्मा जी ने अपना एक अलग वक्तव्य निकाला है, आप लिखते हैं—

''हरिजनों के प्रतिनिधियों की ओर से जो माँग रखी गयी थी, वह राष्ट्रीयता के विरुद्ध थी। यदि वह राष्ट्र के या हरिजनों के लाभकर होती, तब अलबत्ता डॉ. सर मुहम्मद का यह कहना ठीक होता कि उसका विरोध करना मेरे लिए अमानुषिक कार्य था। मेरी यह धारणा है कि मेरा वह कार्य न केवल अमानुषिक नहीं था, बल्कि हरिजनों के अनुकूल भी था। सर मुहम्मद इकबाल को मालूम होना चाहिए कि अछूतपन को जड़ से उखाड़ फेंकना मेरे जीवन का उद्देश्य है और पचास वर्षों से लगातार मैं उसी उद्देश्य को पूरा करने में लगा हूँ....

हरिजनोद्धार के सम्बन्ध में मैं जो कुछ भी करता हूँ, वह शुद्ध धार्मिक है। उसमें कोई भी राजनैतिक रहस्य नहीं है।''

18 दिसम्बर, 1933

क्या हम वास्तव में राष्ट्रवादी हैं?

टके-पन्थी पुजारी, पुरोहित और पंडे हिन्दू जाति के कलंक हैं

यह तो हम पहले ही जानते थे और अब भी जानते हैं कि साधारण भारतवासी राष्ट्रीयता का अर्थ नहीं समझता, और यह भावना जिस जागृति और मानसिक उदारता से उत्पन्न होती है, वह अभी हममें से बहुत थोड़े आदमियों में आयी है। लेकिन इतना जरूर समझते थे कि जो पत्रों के सम्पादक हैं, राष्ट्रीयता पर लम्बे-लम्बे लेख लिखते हैं और राष्ट्रीयता की वेदी पर बलिदान होनेवालों की तारीफों के पुल बाँधते हैं, उनमें जरूर यह जागृति आ गयी है और वह जात-पाँत की बेड़ियों से मुक्त हो चुके हैं, लेकिन अभी हाल में 'भारत' में एक लेख देखकर हमारी आँखें खुल गयीं और यह अप्रिय अनुभव हुआ कि हम अभी तक केवल मुँह से राष्ट्र-राष्ट्र का गुल मचाते हैं, हमारे दिलों में अभी वही जाति-भेद का अन्धकार छाया हुआ है। और यह कौन नहीं जानता कि जाति भेद और राष्ट्रीयता दोनों में अमृत और विष का अन्तर है। यह लेख किन्हीं 'निर्मल' महाशय का है, और यदि वह वही 'निर्मल' हैं, जिन्हें श्रीयुत ज्योतिप्रसाद जी 'निर्मल' के नाम से हम जानते हैं, तो शायद वह ब्राह्मण हैं। हम अब तक उन्हें राष्ट्रवादी समझते थे, पर 'भारत' में उनका यह लेख देखकर हमारा विचार बदल गया, जिसका हमें दुख है। हमें ज्ञात हुआ कि वह अब भी उन पुजारियों का, पुरोहितों का और जनेऊधारी लुटेरों का हिन्दू समाज का प्रभुत्व बनाये रखना चाहते हैं जिन्हें वह ब्राह्मण कहते हैं, पर हम उन्हें ब्राह्मण क्या, ब्राह्मण के पाँव का धूल भी नहीं समझते। 'निर्मल' की शिकायत है कि हमने अपनी तीन चौथाई कहानियों में ब्राह्मणों को काले रंगों में चित्रित करके अपनी संकीर्णता का परिचय दिया है, जो हमारी रचनाओं पर अमिट कलंक है। हम कहते हैं कि अगर हममें इतनी शक्ति होती, तो हम अपना सारा जीवन हिन्दू-जाति को पुरोहितों, पुजारियों, पंडों और धर्मोपजीवी कीटाणुओं से मुक्त कराने में अर्पण कर देते। हिन्दू जाति का सबसे घृणित कोढ़, सबसे लज्जाजनक कलंक यही टकेपन्थी दल है, जो एक

विशाल जोंक की भाँति उसका खून चूस रहा है, और हमारी राष्ट्रीयता के मार्ग में यही सबसे बड़ी बाधा है। राष्ट्रीयता की पहली शर्त है, समाज में साम्य-भाव का दृढ़ होना। इसके बिना राष्ट्रीयता की कल्पना ही नहीं की जा सकती। जब तक यहाँ एक दल, समाज की भक्ति, श्रद्धा, अज्ञान और अन्धविश्वास से अपना उल्लू सीधा करने के लिए बना रहेगा, तब तक हिन्दू समाज कभी सचेत न होगा। और यह दल दस पाँच लाख व्यक्तियों का नहीं है, असंख्य है। उसका उद्यम यही है कि वह हिन्दू जाति को अज्ञान की बेड़ियों में जकड़े रखे, जिसमें वह जरा भी चूँ न कर सके। मानो आसुरी शक्तियों ने अन्धकार और अज्ञान का प्रचार करने के लिए स्वयंसेवकों की यह अनगिनत सेना नियत कर रखी है। अगर हिन्दू समाज को पृथ्वी से मिट जाना है, तो उसे इस अन्धकार-शासन को मिटाना होगा। हम नहीं समझते, आज कोई भी विचारवान हिन्दू ऐसा है, जो इस टकेपन्थी दल को चिरायु देखना चाहता हो, सिवाय उन लोगों के जो स्वयं उस दल में हैं और चखौतियाँ कर रहे हैं।'' निर्मल, खुद शायद उसी टकेपन्थी समाज के चौधरी हैं, वरना उन्हें टकेपन्थियों के प्रति वकालत करने की जरूरत क्यों होती? वह और उनके समान विचारवाले उनके अन्य भाई शायद आज भी हिन्दू-समाज को अन्ध विश्वास से निकलने नहीं देना चाहते; वह राष्ट्रीयता ही हाँक लगाकर भी भावी हिन्दू समाज को पुरोहितों और पुजारियों ही का शिकार बनाये रखना चाहते हैं। मगर हम उन्हें विश्वास दिलाते हैं कि हिन्दू-समाज उनके प्रयत्नों और सिरतोड़ कोशिशों के बावजूद अब आँखें खोलने लगा है और इसका प्रत्यक्ष प्रमाण यह है कि जिन कहानियों को 'निर्मल' जी ब्राह्मण-द्रोही बताते हैं, वह सब उन्हीं पत्रिकाओं में छपी थीं, जिनके सम्पादक स्वयं ब्राह्मण थे। मालूम नहीं ''निर्मल'' जी 'वर्तमान' के सम्पादक श्री रमाशंकर अवस्थी, 'सरस्वती' के सम्पादक श्री देवीदत्त शुक्ल, 'माधुरी' के सम्पादक पं. रूपनारायण पांडे, 'विशाल भारत' के सम्पादक श्री बनारसी दास चतुर्वेदी आदि सज्जनों को ब्राह्मण समझते हैं या नहीं, पर इन सज्जनों ने इन कहानियों को छापते समय जरा भी आपत्ति न की थी। वे उन कहानियों को आपत्तिजनक समझते, तो कदापि न छापते। हम उनका गला तो न दबा सकते थे। मुरौअत में पड़कर भी आदमी अपने धार्मिक विश्वास को तो नहीं त्याग सकता। ये कहानियाँ उन महानुभावों ने इसलिए छापीं, कि वे भी हिन्दू-समाज को टकेपन्थियों के जाल से निकालना चाहते हैं, वे ब्राह्मण होते हुए भी इस ब्राह्मण जाति को बदनाम करनेवाले जीवों का समाज पर प्रभुत्व नहीं देखना चाहते। हमारा ख्याल है कि टकेपन्थियों से जितनी लज्जा उन्हें आती होगी, उतनी दूसरे समुदायों को नहीं आ सकती, क्योंकि यह धर्मोपजीवी दल अपने को ब्राह्मण कहता है। हम कायस्थ कुल में उत्पन्न हुए हैं और अभी तक उस संस्कार को

न मिटा सकने के कारण किसी कायस्थ को चोरी करते या रिश्वत लेते देखकर लज्जित होते हैं। ब्राह्मण क्या इसे पसन्द कर सकता है कि उसी समुदाय के असंख्य प्राणी भीख माँगकर, भोले-भाले हिन्दुओं को ठगकर, बात-बात में पैसे वसूल करके, निर्लज्जता के साथ अपने धर्मात्मापन का ढोंग करते फिरें। यह जीवन व्यवसाय उन्हीं को पसन्द आ सकता है, जो खुद उसमें लिप्त हैं और वह भी उसी वक्त तक, जब तक कि उनकी अन्ध स्वार्थ-भावना प्रचंड है और भीतर की आँखें बन्द हैं। आँखें खुलते ही वह उस व्यवसाय और उस जीवन से घृणा करने लगेंगे। हम ऐसे सज्जनों को जानते हैं, जो पुरोहित कुल में पैदा हुए, पर शिक्षा प्राप्त कर लेने के बाद उन्हें वह टकापन्थपन इतना जघन्य जान पड़ा कि उन्होंने लाखों रुपये साल की आमदनी पर लात मारकर स्कूल में अध्यापक होना स्वीकार कर लिया। आज भी कुलीन ब्राह्मण पुरोहितपन और पुजारीपन को त्याज्य समझता है और किसी दशा में भी यह निकृष्ट जीवन अंगीकार न करेगा। ब्राह्मण वह है, जो निस्पृह हो, त्यागी हो और सत्यवादी हो। सच्चे ब्राह्मण महात्मा गाँधी हैं, म. मालवीय जी हैं, नेहरू हैं, स. पटेल हैं, स्वामी श्रद्धानन्द हैं। वह नहीं जो प्रात:काल आपके द्वार पर आकर करताल बजाते हुए—'निर्मलपुत्र देहि भगवान' की हाँक लगाने लगते हैं, या गणेश-पूजा और गौरी-पूजा और अल्लम-ग़ल्लम पूजा कर यजमानों से पैसे रखाते हैं, या गंगा में स्नान करनेवालों से दक्षिणा वसूल करते हैं, या विद्वान होकर ठाकुर जी और ठकुराइन जी के श्रृंगार में अपना कौशल दिखाते हैं, या मन्दिरों में मखमली गाव तकिये लगाये वेश्याओं का नृत्य देखकर भगवान से लौ लगाते हैं। हिन्दू बालक जब से धरती पर आता है, और जब तक वह धरती से प्रस्थान नहीं कर जाता, इसी अन्धविश्वास और अज्ञान के चक्कर में सम्मोहित पड़ा रहता है। और नाना प्रकार के दृष्टान्तों से, मनगढ़न्त किस्से-कहानियों से, पुण्य और धर्म के गोरख-धन्धों से, स्वर्ग और नरक की मिथ्या कल्पनाओं से, वह उपजीवी दल उनकी सम्मोहनावस्थाओं को बनाये रखता है। और उनकी वकालत करते हैं हमारे कुशल पत्रकार 'निर्मल' जी, जो राष्ट्रवादी हैं। राष्ट्रवाद ऐसे उपजीवी समाज को घातक समझता है, और समाजवाद में तो उसके लिए स्थान ही नहीं। और हम जिस राष्ट्रीयता का स्वप्न देख रहे हैं उसमें तो जन्मगत वर्णों की गन्ध तक न होगी, वह हमारे श्रमिकों और किसानों का साम्राज्य होगा, जिसमें न कोई ब्राह्मण होगा, न हरिजन, न कायस्थ, न क्षत्रिय। उसमें सभी भारतवासी होंगे, सभी ब्राह्मण होंगे, या सभी हरिजन होंगे।

कुछ मित्रों की यह राय हो सकती है कि माना टकापन्थी समाज निकृष्ट है, त्याज्य हैं, पाखंडी है, लेकिन, तुम उसकी निन्दा क्यों करते हो, उसके प्रति घृणा क्यों फैलाते हो, उसके प्रति प्रेम और सहानुभूति क्यों नहीं दिखलाते, घृणा

तो उसे और भी दुराग्रही बना देती है और फिर उसके सुधार की सम्भावना भी नहीं रहती। इसके उत्तर में हमारा यह नम्र निवेदन है कि हमें किसी व्यक्ति या समाज से कोई द्वेष नहीं, हम अगर टकेपन्थीपन का उपहास करते हैं, तो जहाँ हमारा एक उद्देश्य यह होता है कि समाज में से ऊँच-नीच, पवित्र-अपवित्र का ढोंग मिटावें, वहाँ दूसरा उद्देश्य यह भी होता है कि टकेपन्थियों के सामने उनका वास्तविक और कुछ अतिरंजित चित्र रक्खें, जिसमें उन्हें अपने व्यवसाय, अपनी धूर्तता, अपने पाखंड से घृणा और लज्जा उत्पन्न हो, और वे उनका परित्याग कर ईमानदारी और सफाई की जिन्दगी बसर करें और अन्धकार की जगह प्रकाश के स्वयंसेवक बन जाएँ। 'ब्रह्मभोज' और 'सत्याग्रह' नामक कहानियों ही को देखिये, जिन पर 'निर्मल' जी को आपत्ति है। उन्हें पढ़कर क्या यह इच्छा होती है कि चौबेजी या पंडितजी का अहित किया जाए? हमने चेष्टा की है कि पाठक के मन में उनके प्रति द्वेष न उत्पन्न हो, हाँ परिहास-द्वारा उनकी मनोवृत्ति दिखाई है। ऐसे चौबे को देखना हो, तो काशी या वृन्दावन में देखिए और ऐसे पंडितों को देखना हो तो, वर्णाश्रम स्वराज्य संघ में चले जाइये, और यदि निर्मल जी पहले ही उस धर्मात्मा दल में नहीं जा मिले हैं, तो अब उन्हें चटपट उस दल में जा मिलना चाहिए, क्योंकि वहाँ उन्हीं की मनोवृत्ति के महानुभाव मिलेंगे। और वहाँ उन्हें मोटेराम जी के बहुत से भाई-बन्धु मिल जाएँगे, जो उनसे कहीं बड़े सत्याग्रही होंगे। हमने कभी इस समुदाय की पोल खोलने की चेष्टा नहीं की, केवल मीठी चुटकियों से और फुसफुसे परिहास से काम लिया, हालाँकि जरूरत थी बर्नार्ड शॉ जैसे प्रतिभाशाली व्यक्ति की, जो घन के से चोट लगाता है।

निर्मल जी को इस बात की बड़ी फिक्र है कि आज से पचास साल बाद के लोग जो हमारी रचनाएँ पढ़ेंगे, उनके सामने ब्राह्मण समाज का कैसा चित्र होगा और वे हिन्दू-समाज से कितने विरक्त हो जाएँगे। हम पूछते हैं महात्मा गाँधी के हरिजन आन्दोलन को लोग आज के एक-हजार साल के बाद क्या समझेंगे? यही कि हरिजनों को ऊँची जाति के लोगों ने कुचल रखा था। हमारे लेखों से भी आज के पचास साल बाद लोग यही समझेंगे कि उस समय हिन्दू-समाज में इसी तरह के पुजारियों, पुरोहितों, पंडों, पाखंडियों और टकेपन्थियों का राज था और कुछ लोग उनके इस राज को उखाड़ फेंकने का प्रयत्न कर रहे थे। निर्मल जी इस समुदाय को ब्राह्मण कहें, हम नहीं कह सकते। हम तो उसे पाखण्डी समाज कहते हैं, जो अब निर्लज्जता की पराकाष्ठा तक पहुँच चुका है। ऐतिहासिक सत्य चुप-चुप करने से नहीं दब सकता। साहित्य अपने समय का इतिहास होता है, इतिहास से कहीं अधिक सत्य। इसमें शर्माने की बात अवश्य है कि हमारा हिन्दू-समाज क्यों ऐसा गिरा हुआ है और क्यों आँखें बन्द करके धूर्तों को अपना

पेशवा मान रहा है और क्यों हमारी जाति का एक अंग पाखंड को अपनी जीविका का साधन बनाये हुए है, लेकिन केवल शर्माने से तो काम नहीं चलता। इस अधोगति की दशा सुधार करना है। इसके प्रति घृणा फैलाइये, प्रेम फैलाइये, उपहास कीजिए या निन्दा कीजिए सब जायज है और केवल हिन्दू समाज के दृष्टिकोण से ही नहीं जायज है, उस समुदाय के दृष्टिकोण से भी जायज है, जो मुफ्तखोरी, पाखंड और अन्धविश्वास में अपनी आत्मा का पतन कर रहा है और अपने साथ हिन्दू जाति को डुबाये डालता है। हमने अपने गल्पों में इस पाखंडी समुदाय का यथार्थ रूप नहीं दिखाया है, वह उससे कहीं पतित है, उसकी सच्ची दशा हम लिखें, तो शायद निर्मल जी को तो न आश्चर्य होगा, क्योंकि वह उसी समुदाय के एक व्यक्ति हैं, लेकिन हिन्दू समाज की जरूर आँखें खुल जाएँगी, मगर यह हमारी कमजोरी है कि हम बहुत सी बातें जानते हुए भी उनके लिखने का साहस नहीं रखते और अपने प्राणों का भय भी है, क्योंकि यह समुदाय कुछ भी कर सकता है। शायद इस साम्प्रदायिक प्रसंग को इसीलिए उठाया भी जा रहा है कि पंडों और पुरोहितों को हमारे विरुद्ध उत्तेजित किया जाए।

निर्मल जी ने हमें 'आदर्शवाद' और कल के विषय में भी कुछ उपदेश देने की कृपा की है, पर हम यह उपदेश ऐसों से ले चुके हैं, जो उनसे कहीं ऊँचे हैं। आदर्शवाद इसे नहीं कहते कि अपने समाज में जो बुराइयाँ हों, उनके सुधार के बदले उन पर परदा डालने की चेष्टा की जाय, या समाज को एक लुटेरे समुदाय के हाथों लुटते देखकर ज़बान बन्द कर ली जाय। आदर्शवाद का जीता-जागता उदाहरण हरिजन-आन्दोलन हमारी आँखों के सामने है। निर्मल जी जबान में तो इस आन्दोलन के विरुद्ध कुछ कहने का साहस नहीं रखते, लेकिन उनके दिल में घुसकर देखा जाय, तो मन्दिरों का खुलना और मन्दिरों के ठेकेदारों के प्रभुत्व का मिटना, उन्हें जहर ही लग रहा होगा, मगर बेचारे मजबूर हैं, क्या करें?

निर्मल जी हमें ब्राह्मण द्वेषी बता कर सन्तुष्ट नहीं हुए। उन्होंने हमें हिन्दू-द्रोही भी सिद्ध किया है, क्योंकि हमने अपनी रचनाओं में मुसलमानों को अच्छे रूप में दिखाया है। तो क्या आप चाहते हैं, हम मुसलमानों को भी उसी तरह चित्रित करें, जिस तरह पुरोहितों और पाखंडियों को करते हैं? हमारी समझ में मुसलमानों से हिन्दू जाति को उसकी शतांश हानि नहीं पहुँची है, जितनी इन पाखंडियों के हाथों पहुँची और पहुँच रही है। मुसलमान हिन्दू को अपना शिकार नहीं समझता, उसकी जेब से धोखा देकर और अश्रद्धा का जादू फैलाकर कुछ ऐंठने की फिक्र नहीं करता। फिर भी मुसलमानों को मुझसे शिक़ायत है कि मैंने उनका विकृत रूप खींचा है। हम ऐसे मुसलमान मित्रों के खत दिखा सकते हैं, जिन्होंने हमारी कहानियों में मुसलमानों के प्रति अन्याय दिखाया है। हमारा आदर्श

सदैव से यह रहा है कि जहाँ धूर्तता और पाखण्ड और सबलों द्वारा निर्बलों पर अत्याचार देखो, उसको समाज के सामने रखो, चाहे हिन्दू हो, पंडित हो, बाबू हो, मुसलमान हो, या कोई हो। इसलिए हमारी कहानियों में आपको पदाधिकारियों, महाजन, वकील और पुजारी गरीबों का खून चूसते हुए मिलेंगे, और गरीब किसान, मजदूर, अछूत और दरिद्र उनके आघात सहकर भी अपने धर्म और मनुष्यता को हाथ से न जाने देंगे, क्योंकि हमने उन्हीं में सबसे ज्यादा सच्चाई और सेवाभाव पाया है। और यह हमारा दृढ़ विश्वास है कि जब तक यह सामुदायिकता और साम्प्रदायिकता और यह अन्धविश्वास हममें से दूर न होगा, जब तक समाज को पाखंड से मुक्त न कर लेंगे, तब तक हमारा उद्धार न होगा। हमारा स्वराज्य केवल विदेशी जुए से अपने को मुक्त करना नहीं है, बल्कि हम सामाजिक जुए से भी, इस पाखंडी जुए से भी, जो विदेशी शासन से कहीं घातक है, और हमें आश्चर्य होता है कि निर्मल जी और उनकी मनोवृत्ति के अन्य सज्जन कैसे इस पुरोहिती शासन का समर्थन कर सकते हैं। उन्हें खुद इस पुरोहितीपन को मिटाना चाहिए, क्योंकि वह राष्ट्रवादी हैं।

अगर कोई ब्राह्मण, कायस्थों के करारदाद की, उनके मदिरा सेवन की, या उनकी अन्य बुराइयों की निन्दा करे, तो मुझे जरा भी बुरा न लगेगा। मैंने खुद इन बुराइयों की ओर समाज को मुखातिब किया है। कोई हमारी बुराई दिखाये और हमदर्दी से दिखाये, तो हमें बुरा लगने या दाँत किटकिटाने का कोई कारण नहीं हो सकता। मिस मेयो ने जो बुराइयाँ दिखायी थीं उनमें उसका दूषित मनोभाव था। वह भारतीयों को स्वराज्य के अयोग्य सिद्ध करने के लिए प्रमाण खोज रही थी। क्या निर्मल जी मुझे ब्राह्मण-द्रोही, हिन्दू-द्रोही की तरह स्वराज्य-द्रोही भी समझते हैं?

अन्त में मैं अपने मित्र निर्मल जी से बड़ी नम्रता के साथ निवेदन करूँगा, कि पुरोहितों के प्रभुत्व के दिन अब बहुत थोड़े रह गये हैं और समाज और राष्ट्र की भलाई इसी में है कि जाति से यह भेद-भाव, यह एकांगी प्रभुत्व यह खून चूसने की प्रवृत्ति मिटायी जाय, क्योंकि जैसा हम पहले कह चुके हैं, राष्ट्रीयता की पहली शर्त वर्णव्यवस्था, ऊँच-नीच के भेद और धार्मिक पाखंड की जड़ खोदना है। इस तरह के लेखों से आपको आपके पुरोहित भाई चाहे अपना हीरो समझें और मन्दिर के महन्तों और पुजारियों की आप पर कृपा हो जाय, लेकिन राष्ट्रीयता को हानि पहुँचती है और आप राष्ट्र-प्रेमियों की दृष्टि में गिर जाते हैं। आप यह ब्राह्मण समुदाय की सेवा नहीं, उसका अपमान कर रहे हैं।

8 जनवरी 1934

बिहार मन्दिर सम्मेलन

बिहार में हिन्दू धर्म के ठेकेदारों ने अपने सम्मेलन में हरिजनों के मन्दिर प्रवेश का खूब जोरों के साथ विरोध किया और स्व. महारानी विक्टोरिया के धार्मिक निष्पक्षता की घोषणा की दुहाई दी। हिन्दू धर्म तो यह कहता है कि प्राणीमात्र में परमात्मा का वास है, सर्वात्मवाद का इतना ऊँचा आदर्श और किसी धर्म ने भी उपस्थित नहीं किया, मगर मुसलमानों में तो मेहतर भी मस्जिद मे जाकर नमाज़ पढ़ सकता है, और यहाँ समाज का बड़ा भाग मन्दिरों से बहिष्कृत किया जाता है। समाज का जो अंग बड़ी-से-बड़ी सेवा करता है, वह तो अछूत है, और जो तिलक लगाकर मुफ्त का माल उड़ाते हैं वह समाज के श्रेष्ठ अंग हैं। यह व्यवस्था हिन्दू धर्म को कलंकित करनेवाली है और हिन्दू समाज इस अनीति को अब सहन नहीं कर सकता।

29 जनवरी 1934

काशी में मन्दिर प्रवेश बिल का समर्थन

वर्णाश्रम स्वराज्य-संघ को यह सुनकर आश्चर्य होगा कि काशी जैसे सनातनी केन्द्र में भी हरिजनों के मन्दिर प्रवेश बिल की विजय हुई। उस दिन दीवानी बार ऐसासियेशन में इस प्रश्न पर दो घण्टे तक विचार हुआ और यद्यपि एसोसियेशन में विरोधियों की संख्या काफी थी लेकिन कई ब्राह्मण सज्जनों ने बिल के पक्ष में राय देकर विरोधियों को पस्त कर दिया। केवल बाइस रायें विरोध मे आयीं और पक्ष में सैंतीस रायें। काशी का यह निर्णय साफ बतला रहा है कि शिक्षित वर्ग इस बिल का समर्थक है। विरोधियों में थोड़े से कट्टरपन्थी पोप रह गये हैं, यह भीख माँगनेवाले पंडित, या केवल वह लोग जो इस विरोध से भी कुछ दकियानूसी धर्माभिमानी सेठ साहूकारों को उल्लू बना सकते हैं।

19 मार्च, 1933

इस हिमाक़त की भी कोई हद है?

छूत-छात और जात-पाँत का भेद हिन्दू समाज में इतना बद्धमूल हो गया है कि शायद उसका सर्वनाश करके ही छोड़े। खबर है कि किसी स्थान में एक कुलीन हिन्दू स्त्री कुएँ पर पानी भरने गयी। संयोगवश कुएँ में गिर पड़ी। बहुत से लोग तुरन्त कुएँ पर जमा हो गये और उस औरत को बाहर निकालने का उपाय सोचने लगे, मगर किसी में इतना साहस न था कि कुएँ में उतर जाता। वहाँ कई हरिजन भी जमा हो गये थे। वे कुएँ में जाकर उस स्त्री को निकाल लाने को तैयार हुए, लेकिन हरिजन कुएँ में कैसे जा सकता था। पानी अपवित्र हो जाता। नतीजा यह हुआ कि अभागिन स्त्री कुएँ में मर गयी।

क्या छूत का भूत कभी हमारे सिर से न उतरेगा?

14 मई, 1934

भारतीय समाज और स्त्री जीवन

मिस्टर हरविलास शारदा का नया कानून

सामाजिक प्रश्नों में हम सरकारी हस्तक्षेप के पक्षपाती नहीं और हमारे विचार में विवाह की अवस्था का कानून जारी कराके हमने वह काम कानून से किया, जो जनता के विचारों के सुधार से ही हो सकता है मगर विधवाओं को अपने स्वर्गारोही पति की जायदाद पर अधिकार दिलाने का जो बिल मि. शारदा पेश करने जा रहे हैं उससे एक बड़े भारी सामाजिक अन्याय का परिशोध होगा। हिन्दू समाज ने अपनी देवियों के साथ बहुत दिनों जुल्म किया और अब उसे इस जुल्म की जड़ खोदने में विलम्ब न करना चाहिए। हमें आशा है, मि. शारदा के इस बिल का देश स्वागत करेगा।

जनवरी, 1931

नारी-जाति के अधिकार

यों तो भारतीय नारी सदैव कुलदेवी समझी गयी है और उसे समाज में पुरुषों से ऊँचा पद प्राप्त है किन्तु अन्यान्य कारणों से, जिनकी विवेचना करने का यह अवसर नहीं है, उसका स्थान गौण हो गया था। वह मन्दबुद्धिता जिसने एक ओर पराधीनता की बेड़ी पाँव में डाली, दूसरी ओर नारी जाति पर मनमाने अत्याचार करती गयी। ऊँच-नीच का ऐसा संक्रामक रोग फैला कि उसने समाज को ही छिन्न-भिन्न कर दिया। बल्कि स्त्री-पुरुष में भी भेद डाल दिया। पुरुषों ने नारी जाति के स्वत्वों का अपहरण करना शुरू किया, लेकिन राष्ट्रीयता और सद्बुद्धि की जो लहर इस समय आयी हुई है, वह इन तमाम भेदों को मिटा देगी और एक बार फिर हमारी माताएँ उसी ऊँचे पद पर आरूढ़ होंगी जो उनका हक़ है। भारत अपनी माताओं का सदैव भक्त रहा है। मातृ-पूजा उसके धर्म का एक मुख्य अंग है। क्या आज अपनी माताओं द्वारा विजयी होकर वह नारी-जाति के स्वत्वों को स्वीकार न करेगा? भारत के पतन-काल में जब पुरुषों को अपने ही ऊपर विश्वास न था, वह स्त्रियों पर क्या विश्वास करते, पर इस एक वर्ष के सत्याग्रह-संग्राम ने सिद्ध कर दिया कि भारत की देवियाँ अब भी धर्म और कर्त्तव्य की वेदी पर अपने को होम कर सकती हैं। यदि पुरुषों को अब भी उन पर शासन करने का उन्माद हो तो उसे शीघ्र से शीघ्र दूर कर देना चाहिए, क्योंकि वह चाहे दें या न दें, देवियाँ अपने स्वत्वों को लेकर ही रहेंगी। उन्हें हर एक विषय में पुरुषों के समान अधिकार होना चाहिए और इसका निर्णय देवियों ही पर छोड़ देना चाहिए कि वे अपने हितार्थ जो स्वत्व चाहें ले लें। हमारे विचार में निम्नलिखित विषयों पर नारियों को असंतोष है और इस असंतोष को देवियों के इच्छानुसार ही शमन करना पड़ेगा।

1. एक विवाह का नियम स्त्री-पुरुष दोनों ही के लिए समान रूप से लागू हो।

2. पुरुष की सम्पत्ति पर पत्नी का पूरा अधिकार हो। वह उसे रेहन-बय जो कुछ चाहे कर सके।
3. पिता की सम्पत्ति पर पुत्रों और पुत्रियों का समान अधिकार हो।
4. तलाक का क़ानून जारी किया जाए और वह स्त्री-पुरुष दोनों ही के लिए समान हो।
5. तलाक के समय स्त्री पुरुष की आधी सम्पत्ति पाए और यदि मौरूसी जायदाद हो, तो उसका एक अंश।

फरवरी, 1931

तलाकों की संख्या क्यों बढ़ती जाती है?

यूरोप के एक विद्वान ने तलाकों की मीमांसा करते हुए एक बड़े पते की बात कही है। वह कहता है कि ज्यों-ज्यों कृत्रिम उपायों से सन्तान निग्रह की प्रथा बढ़ती जा रही है, तलाकों का रिवाज भी बढ़ता जाता है। सन्तानों के लालन-पालन में माता-पिता के बीच में स्नेह की एक कड़ी बनी रहती थी। विलासिता की ओर उनकी रुचि अधिक न होती थी। अपनी सन्तान के लिए दोनों अधिक-से-अधिक संयम और त्याग करते थे। सन्तानों का निरोध करके अब स्त्री-पुरुष दोनों ही विलासिता में डूबे जा रहे हैं और विलासिता सहिष्णु नहीं होती। हृदय की कठोरता उसके लिए अनिवार्य है। दुनिया चूल्हे में जाय, हमारी तो चैन से कटती है, जब तक यह मनोभाव न हो, आदमी विलास में रत हो ही नहीं सकता। फिर मातृत्व में माता की शारीरिक और मानसिक शक्ति का बड़ा भाग खर्च हो जाता था। पुरुष को भी बाध्य होकर इस उत्तरदायित्व का कुछ-न-कुछ भार लेना ही पड़ता था। अब तो स्त्री-पुरुष दोनों इस चिन्ता से मुक्त होकर विलास में डूब गये हैं। विलासिता का पोषण नवीनता ही से होता है, यह मानी हुई बात है। ऐसी दशा में तलाकों की संख्या न बढ़े, तो क्या हो।

अगस्त, 1932

सिनेमा स्टारों के अर्धनग्न चित्र

इंग्लैंड के एक अँग्रेज़ी पत्र ने एक-दूसरे अंग्रेज़ी पत्र को इसलिए जोर की फटकार बताई है कि उसने एक 'सिनेमा-स्टार' से उसके जीवन का अनुभव लिखवाकर प्रकाशित किया है और इसे लज्जास्पद कहा है। भारत में भी अँग्रेज़ी पत्रों की देखा-देखी इस तरह की मनोवृत्ति बढ़ती जाती है जिन स्त्रियों का जीवन इतना घृणास्पद है कि, कोई भला आदमी अपनी लड़की को उनके साथ एक मिनट के लिए भी छोड़ना पसन्द न करेगा वही स्त्री सिनेमा में एक्ट्रेस बनते ही देवी बना दी जाती है और हरेक पत्र में उसके चित्र छपते हैं, उसकी प्रशंसा की जाती हैं और यदि वह अपने जीवन के सनसनी पैदा करने वाले वृत्तांत लिखे तो उसे बड़े हर्ष से प्रकाशित किया जाता है। हमारे विचार में समाचार-पत्रों का कर्तव्य केवल जनता में सनसनी पैदा करना और उनकी मनोवृत्तियों को विषाक्त करना नहीं, बल्कि उनमें स्वस्थ, निष्कलंक सुरुचि उत्पन्न करना है। इसमें संदेह नहीं क़ि हमें गुण का आदर करना चाहिए, चाहे वह कबीर के शब्दो में कितने ही 'अपावन ठौर' में क्यों न मिले, लेकिन, अर्धनग्न स्त्रियों का निर्लज्जता पूर्ण चित्र खींचकर जनता में कुत्सित भावनाओं को उत्तेजित करना, अथवा उनके लज्जास्पद चरित्र वर्णन करके पाठकों में कुवासना को जगाना, भारतीय आदर्श के विरुद्ध है।

अगस्त, 1932

गाज़ीपुर के को-ऑपरेटिव सम्मेलन में सन्तान-निग्रह

अब की सत्रह मार्च को गाजीपुर प्रान्तीय को-ऑपरेटिव-सम्मेलन हुआ था। उसकी रिपोर्ट हाल में प्रकाशित हुई है। स्वीकृत प्रस्तावों में एक संतान-निग्रह के विषय में भी था। को-आपरेशन में ऐसे विषय भी शामिल हैं, यह एक नई बात है। शायद इस प्रस्ताव की मंशा यह हो कि देश की उन्नति के लिए ब्रह्मचर्य-पालन करना आवश्यक है, पर प्रस्तावक-महोदय को शायद मालूम नहीं कि संतान-निग्रह और ब्रह्मचर्य-पालन दो भिन्न चीजें हैं। ब्रह्मचर्य शक्ति बढ़ानेवाली साधना है, पर संतान-निग्रह दुर्बल करनेवाले कृत्रिम साधनों से संतानोत्पत्ति को रोकना है। इस कृत्रिम संतान-निग्रह से केवल भोगलिप्सा ही की वृद्धि होती है। यूरोप में संतान-निग्रह का खूब प्रचार हो रहा है, लेकिन उसका फल विलासिता की वृद्धि के सिवा और कुछ नही है। संतान वृद्धि और वह भी दरिद्र देश में, विडम्बना है, लेकिन उसके प्रतिबन्ध के लिए कृत्रिम साधनों का प्रचार और भी बड़ी विडम्बना है। उसका मंगलमय उपाय केवल ब्रह्मचर्य है।

अक्टूबर 1932

महिला-सभाओं में सन्तान-निग्रह का प्रस्ताव

'सन्तान-निग्रह' का अर्थ है कृत्रिम साधनों से सन्तान की उत्पत्ति को रोकना। इसके स्वाभाविक साधन भी हैं, पर यह शब्द उस अर्थ में प्रयुक्त नहीं किया जाता।

अभी साल-दो-साल पहले यह केवल एक दार्शनिक प्रश्न था, पर इतने ही दिनों में इसने एक सार्वजिनक समस्या का रूप धारण कर लिया है। और चूँकि सन्तान का पालन-पोषण महिलाओं ही को करना पड़ता है और सन्तानोत्पत्ति की दुस्सह वेदनाएँ महिलाओं ही के हिस्से पड़ती हैं इसलिए इसके प्रचार की अपील प्राय: हरेक महिला-सम्मेलन में उपस्थित होने लगी है। अगर हम भूल नहीं रहे हैं, तो हाल में होने वाले कराची और पंजाब महिला-सम्मेलनों में भी यह प्रस्ताव स्वीकृत हुआ है। इसके पहले सेकेंडरी अध्यापक सम्मेलनों में भी यह प्रस्ताव स्वीकृत हो चुका है। एक समय था, जब संतान को संसार की सबसे बड़ी विभूति समझा जाता था। सन्तान के लिए नाना साधनाएँ की जाती थीं और आज सन्तान मानवीय जीवन की विपत्ति समझी जा रही है। इसका कारण है, वर्तमान आर्थिक संग्राम। जो परिवार कुछ दिन पहले पचास रु. में सुख का अनुभव करता था, उसके लिए अब दो सौ रु. की जरूरत है। अब हम यह दयनीय दृश्य नहीं देख सकते कि चाहे हम एक बच्चे का पालन-पोषण अच्छी तरह नहीं कर सकें, पर दूसरे के लिए देवी-देवताओं की मनौतियाँ करते रहें। स्त्री चाहे अपनी जान से मर रही हो,पर बच्चों से अपना रक्त चुसाती रहे। यह सब तो ठीक है। लेकिन इस निग्रह की आड़ में अगर निर्द्वन्द्व विषय-भोग की प्यास छिपी हुई है, तो समाज के लिए निग्रह उल्टे और हानिकर हो जाएगा। जहाँ सन्तान-निग्रह का बहुत प्रचार है, वहाँ तलाकों की भी भरमार है और समाज-शास्त्र के पंडितों का मत है कि दोनों में घनिष्ट सम्बन्ध है। अगर इस निग्रह का फल यह होता है कि हम अवैध रूप से विषय्र-भोग में पड़ जावें, तो यह समाज के लिए आशीर्वाद की जगह शाप सिद्ध होगा।

नवम्बर 1932

मिस मेयो की आत्मा एक पारसी महिला के वेष में

मिस कार्नेलिया सोहराबजी बार-ऐट-ला एक पारसी महिला हैं, जिनके विषय में कहा जाता है कि उन्होंने मिस मेयो की कलंकित रचना 'मदर इंडिया' के लिए सामग्री देकर भारतमाता की सेवा की थी। अब हमें यह कहते हुए शर्म आती है कि उन्हीं मिस सोहराबजी ने इंग्लैड में भारतीय महिलाओं के विरुद्ध प्रोपोगेंडा शुरू कर दिया है। पिछले दिनों लन्दन के एक आम जलसे में आपने भारतीय महिलाओं का इतने लज्जास्पद शब्दों में मज़ाक उड़ाया कि कदाचित् मिस मेयो को भी इतना साहस न होता। मिस सोहराबजी ऊँचे दरजे की शिक्षा-प्राप्त महिला हैं, हम यह मानते हैं, लेकिन शायद उन्हें भारतीय देवियों से मेल-जोल का कभी अवसर नहीं मिला और उनका ज्ञान सुनी-सुनाई बातों पर है। सम्भव है, उनके विदेशी रहन-सहन और आचार-विचार के कारण ही भारतीय घरों में उनका प्रवेश न हुआ हो। या हुआ भी हो, तो उन्हीं लोगों में, जो स्वयं भारत के लिए कलंक-स्वरूप हैं। लेकिन, अगर मान भी लिया जाय कि उनके कथनानुसार भारत की स्त्रियों में बुराइयाँ भरी हुई हैं, तो उनका धर्म था कि वह भारत में आकर अपनी बहनों का सुधार करतीं, पर आपको जहर उगलने ही में मजा आता है। मगर वहाँ भी ऐसी सच्ची आत्माएँ मौजूद थीं, जिनसे यह उपहास न सुना गया, और दो अँग्रेज महिलाओं ने वहीं खड़े होकर मिस सोहराबजी को ऐसी खरी-खरी बातें सुनाईं कि शायद उन्हें अब किसी समाज की निन्दा करने का साहस न हो। बड़प्पन निन्दा करने में नहीं है। इससे न किसी का मान ही होता है, न आदर ही। जिनको प्रसन्न करने के लिए मिस सोहराबजी यह कीचड़ उछाल रही थीं, उन्हीं ने आपस में बैठकर उनके इस व्यवहार की आलोचना की होगी। भारत को पश्चिमी जीवन और सभ्यता का अब थोड़ा बहुत अनुभव हो गया है और अब वह किसी ऐसे स्त्री या पुरुष का नेतृत्व स्वीकार नहीं कर सकता जिसने पश्चिमी सभ्यता अख्तियार कर ली हो और समझता हो कि अब उसे सारे जमाने को नीचा समझने का अधिकार है।

नवम्बर 1932

भारतीय महिलाओं में नवीन जागृति

भारतीय महिलाओं ने अपने कार्यक्रम से सिद्ध कर दिया है कि वे समाज के क्षेत्र में पुरुषों से कितनी आगे निकल गयी हैं। विशेषकर जिन बन्धनों से पुरुषों ने उन्हें जकड़ रखा था और उन पर शासन करते थे, उन बेड़ियों को तोड़ फेंकने के लिए वह बहुत विकल हो रही हैं। शारदा-बिल से मुसलमानों की एक बड़ी संख्या को तो आपत्ति है ही, हिन्दुओं में भी कुछ ऐसे पुरुष हैं, जो उनका विरोध करते हैं, पर स्त्रियों ने जिनमें मुसलमान स्त्रियाँ भी शामिल हैं, एक स्वर से इस बिल का स्वागत किया है। तलाक का बिल अभी कानून का रूप नहीं धारण कर सकता और हिन्दू पुरुषों में अभी इस समस्या पर बहुत मतभेद है, पर हिन्दू महिलाएँ उस पर हर एक महिला-सम्मेलन में जोर देती हैं। राजनैतिक क्षेत्र में भी महिलाओं ने अपने परिष्कृत सद्‌विचार का परिचय दिया है। वे सार्वजनिक निर्वाचनाधिकार चाहती हैं, जायदाद या शिक्षा की कोई कैद उन्हें पसन्द नहीं, और राष्ट्रीय एकता का तो जितने जोरों से स्त्रियों ने हरेक अवसर पर समर्थन किया है, उस पर बहुमत से हिन्दू और मुसलमान पुरुषों को लज्जित होना पड़ेगा। जिन महानुभावों को हमारी देवियों की विचारशीलता पर संदेह था उन्हें अब अपने विचारों में तरमीम करनी पड़ेगी। भारतीय महिलाओं ने घर की चारदीवारी के अन्दर जिस तरह अपनी दक्षता प्रमाणित की है, उसी तरह राष्ट्र के विस्तृत क्षेत्र में वे पुरुषों से आगे रहेंगी।

दिसम्बर 1932

बालिकाओं का सुकार्य

गत ग्यारह दिसम्बर रविवार को स्थानीय दयानन्द हाई स्कूल में आर्य-कन्या व्यायाम मन्दिर बड़ौदा की कन्याओं का गदा, लेझम, फिरकी, तलवार, छुरे, आसन तथा अन्य व्यायाम देखकर हमें बड़ी प्रसन्नता हुई। बालिकाएँ सभी फुर्तीली, चपल, शिक्षित तथा दक्ष थीं। उनके चेहरे से पवित्रता, सच्चरित्रता तथा लगन प्रकट हो रहा था। उनका गरबा नाच, संस्कृत में कथोपकथन, दो लड़कियों का व्याख्यान, उनकी शिक्षा को व्यक्त करता था। इससे यह साफ़ मालूम होता है कि उन्हें व्यायाम के साथ मानसिक शिक्षा भी काफी दी जाती है। छः वर्ष की उम्र की लड़की कॉलेज में भर्ती की जाती है और वह सोलह वर्ष की उम्र में विदुषी, स्वस्थ तथा आत्म-रक्षा के योग्य होकर कॉलेज से निकलती है। व्यय भी कुछ नहीं, केवल बारह रुपया मासिक पड़ता है। समाज का एक अंग बहुत ही दुर्बल होने के कारण ही हम इतनी हीन दशा में हैं। हमारे यहाँ की पुराने जमाने की क्षत्राणियाँ रणक्षेत्र में शत्रु का सामना करती थीं, पर आजकल की लड़कियाँ अपने स्वास्थ्य की रक्षा नहीं कर सकतीं, उनकी सन्तान भी कापुरुष और दुर्बल पैदा होती हैं। इस बहुत बड़ी कमी को यह विद्यालय पूरा कर रहा है। और इसी उद्देश्य के प्रचारार्थ कुछ लड़कियों को लेकर वे भारत भ्रमण के लिए निकले हैं। हम इस मण्डल के सदुद्योग में पूर्ण सफलता की कामना करते हैं।

दिसम्बर 1932

इंग्लैंड का नैतिक पतन

श्रीमती ग्विनथ फीडन ने 'मरहठा' में इंग्लैंड की जिस सामाजिक दशा का चित्र खींचा है उसे देखकर हम अवाक् रह जाते हैं। अब तक हरेक बात में इंग्लैंड हमारा आदर्श था और अब भी है। हम अपनी रीति-नीति में उसी का अनुसरण कर रहे हैं। हमारी राजनैतिक और सामाजिक संस्थाएँ इंग्लैंड की संस्थाओं के नमूने पर ही निर्माण की जा रही हैं। और बातों में चाहे हममें मतभेद हो लेकिन चरित्र के विषय में हम इंग्लैंड के पूरी तरह कायल हैं। लेकिन उक्त महिला ने जो चित्र खींचा है वह बड़ा ही रोमांचकारी है और हमें चेतावनी देता है कि पाश्चात्य की नक़ल करने में हमें बहुत विवेक से काम लेना होगा। आप लिखती हैं—

"आजकल होटलों और विश्रामगृहों में हद दरजे की बेईमानी और धोखेबाजी देखी जाती है। रोज़ ही ऐसी खबरें आती हैं कि आज फलाँ होटल के मैनेजर को चरका दिया गया, कल उस होटल के मालिक को। अक्सर धोखेबाज होटलों में आते हैं, कई दिन ठहरते हैं और नकली चेक देकर भाग जाते हैं।"

वहाँ के द्ररिद्रों की दशा का वर्णन बड़ा ही करुणाजनक है। आप लिखती हैं—"लेकिन क्षुधा पीड़ितों की दशा। मैंने उन ग़रीबों का, जो फ़ाका करते-करते अधमरे हो गये थे प्रदर्शन देखा था, जो इंग्लैंड के हर एक भाग से सम्मिलित होने आए थे... इन भुखमरों के जुलूस को देखने के लिए कितनी ही महिलाएँ मोटरों पर बैठ कर आयी थीं। उन्हें उनकी दशा पर आश्चर्य था, पर दया न थी। वे इसे तमाशा समझती थीं। वे इन दरिद्रों को अपना सम्पत्ति-वैभव दिखाकर उनकी आँखों में चकाचौंध डालने के लिए ही शायद अपनी भड़कीली मोटरों पर चढ़कर तितलियों की तरह इधर-उधर घूम रही थीं। ओह! ये अमीर कहलानेवाले विलास-प्रिय लोग कितने क्रूर हो सकते हैं। मनुष्य के प्रति यह व्यवहार, कल्पना में भी नहीं आ सकता।"

ऐसी दशा में अगर अमीरों के प्रति द्वेष की आग जले तो क्या आश्चर्य है।

दिसम्बर 1932

कायस्थ कॉन्फरेंस

अबकी प्रयाग में कायस्थ कॉन्फरेंस हुई। कुछ लोग इधर-उधर से आ गये, कुछ व्याख्यान हुए, कुछ प्रस्ताव पास किए गये और कॉन्फरेंस का काम समाप्त हो गया। कायस्थों को इस तरह जलसे करते लगभग चालीस साल हो गया, लेकिन कायस्थ समाज आज भी वहीं है जहाँ चालीस साल पहले था, बल्कि उसकी दशा और भी खराब हो गयी है; दहेज या करारदाद की बुराई सब करते हैं, मगर वही सज्जन जो सभा में सबसे ज्यादा चिल्लाते हैं, सबसे ज्यादा करारदाद करते हैं और सबसे लम्बी रकमें डकराते हैं। ऐसे आदर्शहीन, कर्तव्यहीन मुखियाओं का समाज पर कोई असर नहीं पड़ सकता। अगर आपको इस साल अपनी लड़की की शादी करनी है तो आप सभा में शरीक होकर करारदाद का रोना रोएँगे, लेकिन कल जब आपके बेटे के विवाह का अवसर आएगा तो आप शाइलाक के अवतार बन जाएँगे। ऐसा हृदय-हीन समाज जिसके कर्म और बचन में कोई मेल नहीं, जो स्वार्थ पर अपनी आत्मा बेच डालना भी पाप नहीं समझता, कभी नहीं उठ सकता। उसका दिन-दिन अध:पतन होता जाएगा और एक दिन कोई उसका नाम भी न लेगा। करारदाद को रोकने के लिए जो विधान सोचे गये, जैसे बहिष्कार, पिकेटिंग या लड़कों की ओर से विवाह से इंकार, इनमें से एक भी सफल न होगा। अगर युवकों में इतना आत्म-सम्मान होता तो रोना काहे का था। यहाँ तो वर अपने बाप से भी दो कदम आगे है। मोटर का तकाजा वही करता है, इंग्लैंड जाने के लिए ख़र्च की माँग वर ही करता है। जिस समाज में ऐसे निर्लज्ज, पुरुषार्थहीन युवक हों वह बहुत दिन जीवित नहीं रह सकता। हमें तो आज कायस्थ समाज में एक भी उदाहरण नहीं मिला जहाँ लेन-देन का घृणित व्यापार न हुआ हो। कहीं राह ख़र्च के रूप में, कहीं शिक्षा के ख़र्च के रूप में, कहीं मर्यादा-रक्षा के बहाने से रुपये ऐंठे जाते हैं। बेचारा वर का पिता अपने सम्बन्धियों के दबाव से मजबूर हो जाता है! उसकी बिल्कुल खता नहीं! वह तो खुद करारदाद से नफरत करता है, लेकिन मजबूर है! उसके बहनोई और फूफा और मामा नहीं

मानते! आखिर वह ऐसे निकटवालों की उपेक्षा कैसे करे! जिस समाज में ऐसे-ऐसे धूर्त हैं उसका रसातल के सिवा और कहीं ठिकाना नहीं है और वह बड़े वेग से उस ओर जा रहा है। पहले चार-पाँच सौ रुपये औसत दरजे का दहेज था। अब वह चार-पाँच हजार तक पहुँचा है। जिस घर में दो-तीन कन्याएँ आ गयी हैं, बस समझ लो उसका सर्वनाश हो गया। माता-पिता के लिए अब इसके सिवा और कोई त्राण नहीं है कि वे अपना पेट काटें, तन काटें, धोखाधड़ी से रुपए लावें। उनका सारा जीवन नारकीय हो जाता है। मगर समाज के मुखिया रकमें डकारते जाते हैं और कभी-कभी सभा में आकर रोते-गाते हैं। अब तो इस अनीति की कोई दवा है तो यही कि बालिकाएँ स्वयं अपना भाग्य अपने हाथ में लें और विवाह के बन्धन में उस वक्त तक न पड़ें जब तक कोई ऐसा वर न मिले जो प्रेम-भाव से उनके सामने माथा न टेके। जब बालिकाओं में यह आत्म-सम्मान उदय होगा तभी इस जाति का उद्धार होगा। लड़कों और लड़कों के बापों को हमने बहुत देखा और उनसे आशा करना छोड़ दिया।

जनवरी 1933

एक उपयोगी प्रस्ताव

पढ़ी-लिखी जातियों में अग्रगण्य होती हई भी कायस्थ जाति बहुत ही पिछड़ी हुई है। इस जाति के लगभग नब्बे प्रतिशत लोग नौकरी-पेशा और कलम की सेवा करके पेट पालते हैं। इसी कारण जातिमात्र दरिद्र और औरों के नौकरी के उम्मीदवारों के द्वेष का कारण बनी हुई है। ऐसी हालत में शायद ही किसी जाति को औद्योगिक शिक्षा तथा उद्योग-जीवी होने की इतनी जरूरत हो जितनी कायस्थों को। पुश्त-दर-पुश्त नौकरी-पेशा होने के कारण इनकी नसों में गुलामी जम गयी है, इसलिए आज बेकारी के जमाने में भी नौकरी के लिए ये मारे-मारे फिरते हैं। इस पर भी, तुर्रा यह कि जो लोग व्यापारी हैं, जो कायस्थ व्यापार की ओर लग गये हैं, उन्हें नीची निगाह से देखा जाता है।

कायस्थों के संगठन की एक ही रचनात्मक संस्था है—कायस्थ पाठशाला। वह भी केवल नौकरी के उम्मीदवार ग्रेजुएट ही तैयार करती जाती है। यद्यपि, इधर तीन वर्ष से मुंशी हरनन्दन प्रसाद इसके चेयरमैन हुए हैं, औद्योगिक-शिक्षा का बहुत प्रबन्ध हुआ है, पाठशाला ने काफ़ी उन्नति की है, फिर भी, प्रयत्न निरी बाल-अवस्था में है। इस स्थिति में हमें एक 'मेमोरेंडम' प्राप्त हुआ है। इसके लेखक हैं बिलासपुर (मध्य प्रान्त) के सम्मानित नागरिक तथा व्यापारिक मुंशी रामचन्द्र लाल वर्मा। उनका प्रस्ताव है कि यदि भारत के दो सौ पचहत्तर लाख कायस्थ केवल एक रुपया एक बार चन्दा भी दे दें तो दो सौ पचहत्तर लाख रुपये हो जावे और इस रुपये से इतने अधिक कारखाने खोले जा सकते हैं, कि दो सौ पचहत्तर लाख कायस्थ कुल नौकरियाँ छोड़कर अपना पेट भर सकते हैं। वे स्वावलम्बी ही नहीं, किन्तु बहुत ही उन्नत हो जावेंगे। इस प्रयत्न को प्रारम्भ करने के लिए वे अपनी जेब से ढाई हजार रुपया देने के लिए तैयार हैं। प्रस्ताव बड़ा उपयोगी है तथा विचार करने योग्य है। आशा है, लोग इसको अपनावेंगे और प्रस्तावक को सहायता देंगे।

जनवरी 1933

सर हरिसिंह गौड़ का तलाक-बिल

अभी बहुत दिन नहीं हुए कि तलाक़ का नाम सुनकर हिन्दू समाज के कान खड़े हो जाते थे और उसे यूरोप की नकल समझकर तिरस्कृत कर दिया जाता था। पर इन कई वर्षों में बहुत बड़ा सामाजिक परिवर्तन हो गया है और समाज की न्याय-चेतना बहुत कुछ जागृत हो गयी है। अब यह स्वीकार किया जाने लगा है कि स्त्री-पुरुष दोनों के अधिकार समान होने चाहिए। अभी तो यह हाल है कि पुरुष में चाहे कितने भी दोष हों, चाहे वह कितना ही लम्पट हो, उसके साथ कितना ही अत्याचार करे, औरत के लिए कहीं त्राण नहीं। वह उसकी खबर लेना छोड़ दे, अपनी दूसरी शादी कर ले, किन्तु स्त्री पर उसका अधिकार ज्यों-का-त्यों बना रहता है। स्त्री में रूप न हो, फूहड़ हो, उसके संतान न होती हो, या किसी कारण-वश उससे असंतुष्ट हो, तो उसके लिए रास्ता साफ़ है। लेकिन पुरुष में कितनी ही बुराइयाँ हो, स्त्री के लिए कहीं शरण नहीं। यह एकतरफी नीति बहुत दिन चली, लेकिन अब नहीं चल सकती। अब तो न्याय का तक़ाजा है कि स्त्री को भी वही अधिकार प्राप्त हों। सर हरिसिंह ने तलाक़ के लिए तीन कारणों का निर्देश किया है—

1—जबकि पुरुष अव्यवस्थित चित्त हो।

2—जबकि पुरुष को कोढ़ की बीमारी हो।

3—जबकि वह नपुंसक हो।

स्त्री पुरुष में मनोमालिन्य के और बहुत से कारण हो सकते हैं। उनका इस बिल में कोई जिक्र नहीं है। हम नहीं समझते, वर्तमान रूप में किसी को उससे क्या आपत्ति हो सकती है। हिन्दू-विवाह का आदर्श बहुत ऊँचा है। हिन्दू विवाह और तलाक़ दो परस्पर विरुद्ध बातें हैं, लेकिन इस आदर्श का मूल्य बहुत कम हो जाता है, जब उसके पालन का भार केवल स्त्रियों पर रख दिया जाता है। विशेषकर जब हिन्दू देवियाँ खुद इस बिल की माँग पेश कर रही हैं तो पुरुषों को उसे स्वीकार करने के सिवा और कोई मार्ग नहीं रह जाता। जब तक देवियाँ

चुपचाप, बिना किसी तरह का असन्तोष प्रकट किए अपने कष्टों को सहन करती जाती थीं, पुरुषों के पास अपने को धोखा देने का एक बहाना था। वह कह सकते थे—हमारी देवियाँ पतिव्रत पर इतनी जान देनेवाली हैं कि चाहे पुरुष कितना ही जुल्म करे उनके मन में कोई दुर्भावना आ ही नहीं सकती। अब भी हमारी अधिकांश बहनों की यही मनोवृत्ति है, लेकिन ज्यों-ज्यों उनमें शिक्षा का प्रचार हो रहा है, उनमें अपनी वर्तमान अधोगति से विद्रोह उत्पन्न हो रहा है और तलाक़ की माँग उसी विद्रोह का सूचक है। पुरुषों को अब उनसे समझौता करना होगा। उनकी शिकायतों की अवहेलना करके अब वे अपने पुरुषत्व को कलंक से नहीं बचा सकते। यह सत्य है कि तलाक़ प्रथा का दुरुपयोग किया जा सकता है। पश्चिमी देशों में उसकी जो छीछालेदर हो रही है, वह हम नित्य अखबारों में देखते हैं। भारत में भी तलाक़ के मुकदमें अधिकांश ईसाई और ऐंग्लोइंडियन दम्पतियों की ओर से ही दायर किये जाते हैं, लेकिन वर्तमान हिन्दू विवाह में तो ऐसी बुराइयाँ आ गयी हैं, नहीं तलाक़ बिल की जरूरत ही क्या थी।

हाँ, इस बिल के साथ इस बात का भी विचार करना आवश्यक है कि पुरुष की जायदाद में स्त्रियों का कुछ अधिकार रहे। अन्यथा ऐसा हो सकता है कि नित नये फूलों का रस लेनेवाली मनोवृत्तियाँ तलाक़ को एक बहाना बना लें।

कुछ लोगों का यह कहना है कि पढ़े-लिखे समाज का एक अल्प भाग ही इस बिल के पक्ष में है। इसलिए वर्तमान प्रथा में अगर सौ में दो-चार शादियाँ दुखमय होती हैं, तो उन दो-चार के लिए सारे समाज को क्यों भ्रष्ट करने की चेष्टा करते हो। उन्हें हमारा यही उत्तर है कि यह बिल उन्हीं दुखमय दम्पतियों के लिए बनाया जा रहा है। सुखी दम्पतियों के लिए उस बिल का होना न होना दोनों बराबर है। विधवा-विवाह का बिल पास हो जाने से सभी विधवाएँ विवाह तो नहीं करने लगीं। शारदा कानून ने भी तो बाल विवाह नहीं बन्द कर दिया, हाँ उसमें कुछ रुकावट अवश्य डाल दी। सबसे बड़ा कानून जनमत है। लेकिन फिर भी ऐसे कानूनों का हमें स्वागत करना चाहिए जिनका उद्देश्य सामजिक अत्याचारों को दूर करना हो।

मार्च 1933

लखनऊ की वेश्याओं में नयी जागृति

आखिर फ़िल्म एक्ट्रेसों की दिन-दूनी रात-चौगुनी बढ़ती देखकर वेश्याओं की आँखें भी खुल ही गयीं। ये बेचारी दस-दस साल तक रियाज़ करें, फिर भी समाज में इनका कहीं स्थान नहीं। शहरों से निकाली जाती हैं। कोई भला आदमी बिना अपनी इज़्ज़त में बट्टा लगाये उनसे बोल नहीं सकता। लोग उनके साये से भी बचते हैं। कुछ जमींदार, ताल्लुकेदार जरूर उनके कदरदानों में थे और अक्सर सेठ साहूकारों की महफ़िलों में मंगलामुखियों का आदर होता था, पर इस मन्दी ने दोनों ही का काफ़िया तंग कर दिया है। अब इन गरीबों का भार कौन सँभाले। सरकारी नौकरों में तो इतनी जान ही नहीं रहती। हाँ थानेदार और डिप्टी मैजिस्ट्रेट जरूर उन्हें सरफ़राज किया करते हैं, मगर ये लोग सबसे बेगार में काम लेते हैं। वेश्याओं को उनसे क्या फ़ैज़ पहुँच सकता है। उधर फिल्म की एक्ट्रेसें हैं कि गाने में थोड़ा शुद-बुद आ गया, बस स्टार बन बैठीं। पत्रिकाओं में उनके चित्र निकलने लगे। पोस्टरों में उनके चित्रों पर लोगों की आँखें जमने लगीं। अच्छे-अच्छे समाचार पत्रों में उनकी एक्टिंग की तारीफ़ों के पुल बाँधे जाने लगे। यों समझो कि अछूत मानो ईसाई हो गया। अब उसे कौन अछूत कह सकता है। अब वह साहब है और लोग उसे साहब कहते हैं। तो अब मंगलामुखियों ने सिनेमा पर धावा बोल देने का निश्चय किया है। और रसिकों के शहर लखनऊ की वेश्याओं ने एक संस्था की सृष्टि भी कर डाली है जिसका काम होगा कि वह वेश्याओं को सिनेमा क्षेत्र में लाये। जब सभी जातियों में जागृति फैल रही है तो वेश्याओं में क्यों न फैलती? और लखनऊ की वेश्याओं में, जो वर्तमान युग में वेश्याओं का कैपिटल है। एक बार वह सिनेमा में घुस जायें, फिर वही लोग जो उनके कोठों की ओर ताकना ऐब समझते हैं, तब उन्हें निमंत्रित कर अपने को धन्य समझेंगे। उनकी तस्वीरें दीवानखानों की शोभा बढ़ाएँगी। जहाँ थोड़े से रसिकों तक ही उनकी कीर्ति सीमित रहती थी, वहाँ एक ही वक़्त लाखों आदमी उनके कला-कौशल पर मुग्ध होंगे।

अप्रैल, 1933

एक दुखी बाप

एक सज्जन जिनका नाम बताना हम मुनासिब नहीं समझते, हमारे पास एक पत्र लिखा है, जिससे विदित होता है कि आजकल अपनी कन्याओं का विवाह करने में पिताओं को कितनी मुसीबतों का सामना करना पड़ता है। उक्त सज्जन ने हमसे उस मुसीबत का इलाज पूछा है। हम इस विषय में उतने ही निस्सहाय हैं, जितने स्वयं वह हैं। हमें तो इसका एक ही इलाज नज़र आता है वह यह है कि लड़कियों को अच्छी शिक्षा दी जाय और उन्हें संसार में अपना रास्ता आप बनाने के लिए छोड़ दिया जाय। उसी तरह जैसे हम अपने लड़कों को छोड़ देते हैं। उनको विवाहित देखने का मोह हमें छोड़ देना चाहिए और जैसे युवकों के विषय में हम उनके पथ-भ्रष्ट हो जाने की परवाह नहीं करते, उसी प्रकार हमें लड़कियों पर भी विश्वास करना चाहिए। तब यदि वह गृहणी-जीवन बसर करना चाहेंगी, तो अपनी इच्छानुसार अपना विवाह कर लेंगी, अन्यथा अविवाहित रहेंगी। और सच पूछो तो यही मुनासिब भी है। हमें कोई अधिकार नहीं है कि लड़कियों की इच्छा के विरुद्ध केवल रूढ़ियों के गुलाम बनकर, केवल इस भय से कि खानदान की नाक न कट जावे, लड़कियों को किसी-न-किसी के गले मढ़ दें। हमें विश्वास रखना चाहिए कि लड़के अपनी रक्षा कर सकते हैं, तो लड़कियाँ भी अपनी रक्षा कर लेंगी।

उस पत्र का एक अंश हम देते हैं और यद्यपि हमें विश्वास नहीं, कि उसे पढ़कर किसी को कुछ अखर होगी, लेकिन कम-से-कम वह संतोष तो हो जाएगा, जो अपना दुख दूसरों को सुनाकर होता है—

''मैं आजकल एक फ़िकर में मुबतिला हूँ। मेरा ख्याल है कि इलाज आपके द्वारा हो सकता है। मुझे अपनी सुयोग्य कन्या की शादी की फिक्र है। जहाँ कहीं भी बातचीत करता हूँ वहीं से रुपयों की बड़ी तादाद की माँग होती है। आपके शहर में ही एक प्रसिद्ध रईस बाबू—रिटायर्ड डिप्टी कलेक्टर हैं, उन्होंने मुझसे पाँच हजार नक़द, अलावा सामान-दहेज के माँगे। आप विचार करें कि नक़द पाँच

हजार के ऊपर लगभग चार हजार का सामान और इतना ही ऊपर चाहिए। अगर किसी घर में तीन लड़कियाँ हुईं तो आधे लाख रुपये उनके विवाह के लिए रख लेना जरूरी है। आप विचार कीजिए, कि कायस्थों के पास जो नौकरी करके गुज़र करते हैं, इतने रुपये कहाँ से आ सकते हैं, और फिर ईमानदारी के साथ काम करके कोई भी नौकरी करके इतने रुपये पैदा नहीं कर सकता। मैं करारदाद के सख्त खिलाफ़ हूँ। मैंने अपने लड़के की शादी में करारदाद मुतलक़ नही किया जिसे हर शख्स जानता है। अगर करारदाद करता तो मुझे भी काफी रुपये मिल सकते थे। लेकिन लड़की की शादी में करारदाद करने को तैयार हूँ, क्योंकि मजबूरी है। इसलिए मेहरबानी करके कोई ऐसा लड़का जो तालीमयाफ़्ता, तन्दुरुस्त हो और जिसके माँ-बाप के विचार अच्छे हों मुझे बताइए।''

यह लाला साहब रिटायर्ड डिप्टी कलेक्टर के पास गये ही क्यों? इसलिए कि वह भी ओहदा और दौलत देखते हैं। ऐसों के पास तो भूल कर भी न जाइए। ऐसे लड़कों को लीजिए जिनके माँ-बाप सिधार चुके हैं। उनको सहायता देकर आगे बढ़ाइए और दो-चार हज़ार जो आप दे सकें कन्या के नाम से बैंक में जमा करके लड़की को पास बुक दे दीजिए। इन जायदादवालों के दरवाज़े पर थूकने भी न जाइए। छोड़ दीजिए कन्या को सम्पन्न और सम्मानित कुल में विवाहने के मोह को। ऐसे कुलों में लड़कियाँ कभी सुखी नही रहतीं। विद्यालयों में बहुत से ऐसे युवक मिलेंगे जो चरित्रवान हैं, विचारशील हैं, पर कोई उनकी सहायता करनेवाला नहीं है। ऐसे युवकों में छाँट लीजिए और उनके साथ कन्या का पाणि-ग्रहण कर दीजिए।

अप्रैल 1933

औरतों का क्रय-विक्रय

सहयोगी 'नेशनल कॉल' को उसके कानपुर के संवाददाता ने एक ऐसे दल के पकड़े जाने की खबर दी है जो औरतों का व्यापार करता है। इस दल में कई औरतें भी मिलीं। यह लोग आस-पास के ज़िलों से औरतों को बहकाकर या उठाकर लाते हैं और मुरादाबाद, शाहजहाँपुर आदि ज़िलों में बेच देते हैं। इस दल में सभी नीचे दर्जे के आदमी हैं लेकिन न जाने कब से यह घृणित व्यापार इतनी होशियारी से करते चले आते हैं कि किसी को खबर न हुई। यह सब हमारे चरित्र-पतन के लक्षण हैं। हम इतने गिर गये हैं कि धनोपार्जन के लज्जास्पद तरीके निकालते रहते हैं। यहाँ तक कि अपनी बहनों और बेटियों को बेचने में भी संकोच नहीं करते। इस तरह की बुराइयों का मुख्य कारण आर्थिक कष्ट ही है। बेकारी दिन-दिन बढ़ती जाती है। मजूरों की मजूरी नहीं लगती, किसान तबाह हुए जा रहे हैं, पढ़े-लिखे आदमी भूखों मर रहे हैं, व्यापारियों का दिवाला निकला जा रहा है। फिर ऐसी वारदातें क्यों न हों और क्यों न चकले आबाद हों। घरवालों का दुर्व्यवहार भी बहुधा स्त्रियों के पतन का कारण हुआ करता है, बल्कि अक्सर तो औरतों का सर्वनाश करनेवाले उनके घर के प्राणी होते हैं जो पहले तो उनको व्यभिचार का साधन बनाते हैं और पीछे से बदनामी के भय से उनको घर से निकाल देते हैं और वह अबलाएँ इन्हीं दुष्टों के हाथों पड़ जाती हैं। दरिद्रता और मूर्खता की बलिहारी है।

मई 1933

वेश्यावृत्ति

मि. ई. अहमदशाह युक्त प्रान्तीय कौंसिल के उन बदनाम मेम्बरों में से हैं जो सदैव प्रजा-पक्ष का विरोध ही करते रहे हैं। कौंसिल के विगत अधिवेशन के अवसर पर वे श्वेत-पत्र के 'लम्बे' समर्थक थे। इसी कारण उनके किसी भी कार्य में जनता को यह आशंका रहती है कि वह वास्तव में प्रजा के हित में है या विरोध में, पर यह आवश्यक नहीं है कि मि. शाह जो कुछ करते हैं वह जनता के विरोध में ही होता है। उदाहरणार्थ, वेश्या-वृत्ति-निवारण तथा स्त्रियों की खरीद-बिक्री रोकने के लिए जो बिल उन्होंने पेश किया है तथा इसी नैनीताल के अधिवेशन में जो 'सेलेक्ट कमेटी' के सुपुर्द भी हो गया हो, वास्तव में बड़ा उपयोगी और आवश्यक बिल है। राष्ट्र-परिषद् ने भी 'ट्रैफिक इन विमेन' सम्बन्धी इसी प्रकार के नियम बनाये हैं, पर न जाने क्यों मि. चिन्तामणि ऐसे व्यक्ति भी इस बिल का विरोध कर रहे हैं। इस विरोध में कोरी दलबन्दी तो नहीं है? मि. चिन्तामणि ने इस बिल के विरोध में जो व्याख्यान दिया था वह तथ्यहीन था, उसमें केवल नये होममेम्बर की प्रशंसा थी (जिस प्रशंसा को होममेम्बर ने सहर्ष 'लौटाया' था) और थी मि. शाह की खिल्ली। हमारी समझ में मि. चिन्तामणि आदि का विरोध केवल दलबन्दी का फल है और यदि यह बिल न पास हो सका तो इसमें दोष उनका तथा उनके समर्थकों का होगा।

जुलाई 1933

अभागिनी विधवा

कई दिन हुए देहली में एक हिन्दू विधवा ने रेल की लाइन पर लेट कर जान देना चाहा। संयोग से ड्राइवर ने देख लिया, और इंजिन को रोक दिया। जब औरत को इंजिन के नीचे से निकाला गया तो उसने यह करुणा में डूबे हुए शब्द कहे—"मैं बाल-विधवा हूँ। मैं अपनी जिन्दगी से तंग आ चुकी हूँ। इस दुनिया में नहीं रहना चाहती। तुम लोग मुझे क्यों तंग करते हो, मुझे मर जाने दो।"

और उस विधवा पर अब आत्महत्या के अपराध का अभियोग चल रहा है।

जुलाई 1933

महिला विद्यालयों में बिहारी सतसई

पंजाब के पत्रों में कुछ दिनों से यह बहस छिड़ी हुई है कि बिहारी सतसई को महिला विद्यालयों से क्यों न उठा दिया जाए। जिन पुस्तकों में शृंगार का नग्न और निर्लज्ज रूप दिखाया गया हो, उन्हें लड़कियों से ही क्यों, लड़कों से भी उठा देना चाहिए। हमारे पुराने ब्रजभाषा के अमर कवि, जिनकी शायरी का उद्देश्य ही अपने आश्रयदाताओं की लोलुप-विलासिता और कामुकता को उकसाना और उभारना था, शृंगार जैसे पवित्र विषय को इतना गंदा और घिनौना बना गये हैं कि आज उन कवियों पर दया आती है, जो अपनी सुरुचि की हत्या करने के लिए मजबूर थे। हम यह नहीं कहते कि बिहारी को स्कूलों से बिल्कुल उठा दिया जाय। बिहारी ने कविता के आकाश में ऐसी ऊँची उड़ान ली है और ऐसे-ऐसे अछूते और नाजुक खयाल पैदा किए हैं कि उनसे वंचित रहना साहित्य के एक बड़े आनन्द से वंचित रहना है, लेकिन स्कूलों के लिए बिहारी का एक शुद्ध एडीशन होना चाहिए जिसमें से कुरुचिपूर्ण दोहे निकाल लिए जायँ, चाहे कवि ने उनकी रचना में कलम ही क्यों न तोड़ दी हो। देव और मतिराम और पद्माकर आदि की रचनाओं के भी स्कूली एडीशन निकलने चाहिए। हम नहीं समझते, कोई अध्यापक या अध्यापिका युवकों या युवतियों के सामने उन दोहों या कवित्तों की व्याख्या कैसे कर सकती है जिनमें कूट-कूट कर रति रहस्य भरा हुआ है। इंग्लैंड में कुछ दार्शनिकों का प्रस्ताव है कि युवकों और युवतियों के लिए रति शिक्षक स्कूल खोले जाएँ। इन शृंगारी कवियों को ऐसे स्कूलों में विशेष रूप से स्थान मिलना चाहिए!

सितम्बर 1933

प्रयाग में महिला व्यायाम मन्दिर

प्रयाग महिला विद्यापीठ ने महिला व्यायाम मन्दिर खोलकर बड़ा सामाजिक उपकार किया है। हमारे गिरते हुए स्वास्थ्य की रोकथाम जितना महिलाएँ कर सकती हैं और कोई शक्ति नहीं कर सकती। इस व्यायाम मन्दिर से यह आशा तो नहीं की जा सकती कि प्रयाग-महिलाओं की कोई बड़ी संख्या इससे लाभ उठा सकेगी। इसका काम तो केवल महिलाओं के सामने एक नमूना रख देना और कभी-कभी प्रदर्शन करके उनके मन्द होनेवाले उत्साह को उभारना होगा। महिलाओं के दिल में अगर यह बात बिठाई जा सके कि अपने परिवार के लिए पुष्टिकर भोजन की व्यवस्था करना, आभूषणों से कहीं ज्यादा महत्त्व की बात है और अपने बच्चों में व्यायाम की आदत डालकर वे उसके साथ सबसे बड़ा उपकार कर सकती हैं तो राष्ट्र के लिए बड़े मंगल की बात हो।

सितम्बर 1933

विधवाओं के गुज़ारे का बिल

श्री हरिविलास शारदा ने अपनी सामाजिक सेवा से भारत के इतिहास में अमर पद प्राप्त कर लिया है। अब उन्होंने हिन्दू-विधवाओं के गुजारे का बिल असेम्बली में पेश करके समाज की जो सेवा की है, उसके लिए समाज को उनका कृतज्ञ होना चाहिए। हिन्दू समाज के पतन का मुख्य कारण अगर जाति भेद है तो विधवाओं की दुर्दशा भी उसका खास सबब है। वही स्त्री जो पति के जीवन-काल में घर की स्वामिनी थी और जिसने उस गृहस्थी के निर्माण में पति के साथ सारी कठिनाइयाँ झेलीं, पति के मरते ही अनाथ हो जाती है। उसी की गोद के लड़के उससे आँखें फेर लेते हैं और उसकी जो दुर्गति होती है, वह हम नित्य अपनी आँखों देखते हैं। उसे केवल अपने लड़कों या पति के बन्धुओं की दया का अवलम्बन रह जाता है। पति की छोड़ी हुई सम्पत्ति पर उसका कोई अधिकार नहीं रह जाता। अगर सम्मिलित परिवार है, तब तो उसकी दशा और भी शोचनीय हो जाती है। वह स्वामिनी से लौंडी हो जाती है और सारे घर की सेवा करके अपने जीवन के दिन काटती है। इस दशा में कितनी ही घर से निकल जाती हैं। कितनी अपमान और कठिनाइयों से तंग आकर पतिता हो जाती हैं। यह बिल विधवाओं को अपने पति की सम्पत्ति में कानूनी अधिकार देने के लिए बनाया गया है। आज हमारी समझ में ऐसा शायद ही कोई शिक्षित व्यक्ति हो जो इस बिल का विरोध करे, लेकिन कट्टर सम्प्रदाय के महानुभावों से हमें शंका है, जिनकी संख्या असेम्बली में कम नहीं है, वरना अछूतों का मन्दिर प्रवेश बिल अब तक कब का पास हो चुका होता। शायद उनकी ओर से इस आधार पर विरोध किया जाय कि विधवा सम्पत्ति पाकर उसे अपने मैकेवालों को दे देगी, या कोई उलझन पैदा की जा सकती है, पर इन महानुभावों से हमारा यही निवेदन है कि यदि आप हिन्दू समाज के हितचिन्तक हैं, तो इस बिल में रोड़े न अटकाइए। अगर पुरुष अपनी सम्पत्ति का जिस तरह चाहे उपयोग कर सकता है तो स्त्री को क्यों उस अधिकार से वंचित किया जाय। जब सम्पत्ति पर उसका कानूनी अधिकार

हो जाएगा तो उसके लड़के अथवा बन्धु सभी उसका आदर करेंगे और किसी को उसकी मर्जी के खिलाफ़ कोई काम करने का साहस न होगा। औरत मैके की ओर तब भागती है, जब ससुराल में कोई बात नहीं पूछता। जब सुसराल में उसे आदर और रक्षा मिलेगी तो वह मैके क्यों जाने लगी। जो कुछ भी हो, इस समय हमारा सामाजिक धर्म यह है कि शास्त्रों और स्मृतियों की शरण लेकर इस बिल को रद्द कराने की चेष्टा न करें। विधवाओं के साथ समाज ने बड़ा अन्याय किया है, और अन्याय को पालकर कोई समाज सरसब्ज़ नहीं हो सकता।

अक्टूबर 1933

महिला-सम्मेलन में सन्तान-निग्रह

अभी हाल में प्रयाग में प्रान्तीय महिला-सम्मेलन हुआ, उसमें और कई महत्त्व के प्रस्तावों के साथ सन्तान-निग्रह का प्रस्ताव भी स्वीकृत हुआ और म्युनिसिपैलिटियों और सरकारों से इसकी विधि सिखाने का प्रबन्ध करने का आदेश किया गया। युजिनेक शास्त्र यह कहता है कि देश में अयोग्य स्त्री-पुरुषों को न्युटरलाइज कर देना चाहिए, अर्थात् उन्हें जनन शक्ति से वंचित कर देना चाहिए और देश में सन्तान उत्पन्न करने का अधिकार ऐसे प्राणियों को मिलना चाहिए, जो दिल, दिमाग और देह तीनों से मजबूत हों और इसके साथ ही खुशहाल भी हों। मजूरों और अर्ध शिक्षित स्त्री-पुरुषों को सन्तानोत्पत्ति का अधिकार न होना चाहिए। अतएव देश में जो विद्वान, प्रतिभाशाली, तेजस्वी स्त्री-पुरुष हैं उन्हीं पर देश में योग्य सन्तान पैदा करने की जिम्मेदारी आती है। अतएव इस सममेलन की विदुषी, मनस्वी, स्वाभिमानी देवियों को जहाँ यह प्रचार करने की जरूरत है कि अयोग्य स्त्री-पुरुष सन्तान उत्पन्न न करें, वहाँ अपनी योग्य बहनों को सुयोग्य सन्तान उत्पन्न करने की प्रेरणा करनी चाहिए। पढ़ी-लिखी, विचारशील देवियाँ और उन्नत विचारवाले पुरुष सन्तान-निग्रह नहीं कर सकते और न राष्ट्र उन्हें इस जिम्मेदारी से आज़ाद कर सकता है। उन्हें तो सन्तान उत्पन्न करके उसका पालन करना ही पड़ेगा, अन्यथा देश में अयोग्य सन्तान भर जाएगी। देश ने गरीबों का रुपया लेकर आपको पढ़ाया-लिखाया और आपको इस पद पर पहुँचाया। आपकी जात से देश को क्या फायदा पहुँचा।

उधर बड़े-बड़े विज्ञानशास्त्री इस यत्न में हैं कि लेबोरेटरी में जिस तरह की सन्तान चाहें पैदा कर सकें। एक विद्वान ने तो यहाँ तक भविष्यवाणी की है कि दो हजार तैंतीस तक इस विषय में बहुत जाँच-खोज हो चुकी होगी और संभव ही नहीं, निश्चित है कि दो हजार एक सौ तैंतीस तक विज्ञान द्वारा उत्पन्न स्त्री-पुरुष संसार में हलचल मचा रहे होंगे। इसलिए हमारे उन्नत समाज को यह

बेगार थोड़े ही दिनों तक झेलनी पड़ेगी। फिर विज्ञान उन्हें इस जिम्मेदारी से मुक्त कर देगा। तब तक भोजन की समस्या भी हल हो चुकी होगी। एक गोली खाकर हमारी सन्तान उतना ही पोषण प्राप्त कर सकेगी, जितना आजकल दूध, घी, मांस-मछली भरपेट खाकर भी नहीं मिल सकता। बस सारे दिन सैर और गाना और विहार होगा। अफसोस उस जमाने में हम न होंगे।

नवम्बर 1933

कुमारी शिक्षा का आदर्श

शिक्षा-विभाग के अध्यक्ष मि. मेकेंजी ने मुरादाबाद की एक कन्या पाठशाला में कुमारियों की शिक्षा का जो आदर्श उपस्थित किया, उस पर हमारी देवियाँ उनसे खुश होंगी या नाराज़, यह हम नहीं जानते। आपके विचार में कुमारों और कुमारियों की शिक्षा में वही अन्तर होना चाहिए, जो उनके जीवन में है। समीकरण और वायुविज्ञान से उनके जीवन का कोई उपकार नहीं होता। वर्तमान शिक्षा-प्रणाली उन्हें माता और गृहणी बनने के योग्य नहीं बनाती। मुश्किल तो यह है कि पुरुषों ने महिलाओं को इतना सताया है कि अब वे माताएँ और गृहणी न बनकर अपनी आर्थिक स्वाधीनता प्राप्त करने पर तुली हुई हैं। अगर पुरुष बच्चे पालना और भोजन पकाना नहीं जानते, तो स्त्री क्यों सीखे। जो विद्या पढ़कर पुरुष रोटी कमाता है और इसलिए औरतों को अपनी लौंडी समझता है, वह विद्या स्त्रियाँ भी सीखना चाहती हैं। वह खाना क्यों पकायें, वकालत क्यों न करें, अध्यापिका क्यों न बनें? इसका फैसला हमारी देवियों को ही करना चाहिए कि उनकी कन्याएँ कैसी शिक्षा पाएँ, स्वार्थी पुरुषों का फैसला वह क्यों मंजूर करने लगीं!

जनवरी 1934

महिलाओं की शिक्षा पर पं. जवाहरलाल नेहरू

किसी पिछली संख्या में हमने मि. मेकेंजी के स्त्री शिक्षा-संबंधी विचार की आलोचना की थी। मि. मेकेंजी महिलाओं को माता और गृहणी बनने की शिक्षा देना चाहते हैं, और अनावश्यक विषयों को उनके दिमाग में ठूँसकर वही गलती नहीं करना चाहते, जो लड़कों की शिक्षा में की गयी। लड़कों को दफ्तरों के लिए क्लर्क बनाना अभीष्ट था। लड़कियों के सामने वह यह आदर्श नहीं रखना चाहते। पंडित जवाहरलाल नेहरू ने महिला विद्यापीठ के दीक्षान्त भाषण में इसके विपरीत मत प्रकट किया। आपका खयाल है कि महिलाओं को केवल वैवाहिक जीवन के लिए क्यों तैयार किया जाय। उन्हें जब तक आर्थिक स्वतन्त्रता न प्राप्त होगी उस वक्त तक पति-पत्नी में साम्यवाद न उत्पन्न होगा। अगर साम्य का एक मात्र आधार आर्थिक ही हो जाय, तब भी कमी-बेशी का झंझट रहेगा ही। अगर देवी जी एक सौ रुपया लाती हैं, और देवता जी एक सौ बीस रुपया, तो अवश्य ही कुछ थोड़ी सी असमता आ जाएगी। उसी तरह देवी जी ज्यादा कमाती हैं, तब भी असमता पैदा होगी। दोनों बराबर लायें तभी मीज़ान ठीक बैठेगी। इसका अर्थ यह होगा कि मुश्किल से सौ में पाँच दम्पती सुखी होंगे। बात यह है कि देवताओं में प्रधानता की जो भावना उत्पन्न हो गयी है यह केवल उनकी मूर्खता के कारण। वह समझते हैं वे बाहर से धन कमाकर लाते हैं, इसलिए उनका महत्त्व अधिक है। उन्हें यह भूल जाता है कि स्त्री घर में जो काम करती है, वह उनकी कमाई से कई गुना ज्यादा महत्त्व की चीज़ है। जहाँ पुरुष बिल्कुल गधे नहीं हैं, वहाँ पराधीनता और स्वाधीनता की गन्ध तक नहीं है। दोनों ही एक-दूसरे के समान रूप से पराधीन हैं। पुरुषों के दृष्टिकोण में परिवर्तन हो जाने से यह सारा विवाद मिट सकता है, और पारिवारिक विच्छेद के लज्जास्पद दृश्यों से समाज की रक्षा हो सकती है।

जनवरी 1934

रूस का नैतिक उत्थान

रूस को बदनाम करने वाले अँग्रेजी अख़बारों में बराबर यही लिखा जाता है कि रूस में विवाह प्रथा प्रायः उठ सी गयी है, पारिवारिक संगठन नष्ट हो गया है, स्त्री-पुरुष स्वेच्छा से सहवास करते रहते हैं, आदि। लेकिन इधर दो-एक भारतीय सज्जनों ने वहाँ जो आँखों देखा वृतान्त लिखा है उससे तो मालूम होता है कि रूस ने और किसी विभाग में चाहे प्रगति की हो या नहीं, लेकिन नैतिक दृष्टि से तो वह पश्चिम की अन्य सभी उन्नत जातियों से आगे निकल गया है। वहाँ बाज़ारों में वेश्याएँ अपने शिकार की तलाश में चक्कर लगाती नहीं नज़र आतीं, न होटलों और कहवा-खानों में औरतों के नंगे चित्र ही लटकते नज़र आते हैं, जैसा यूरोप और अमेरिका के प्रायः सभी देशों में देखा जाता है। यही नहीं सुजाक और उपदंश आदि बीमारियाँ जो यूरोप में दिन-दिन बढ़ रही हैं, रूस में बहुत कम हो गयी हैं और वहाँ के डॉक्टरों को आशा है कि कुछ दिनों में यह फिरंगी बीमारियाँ नेस्त-नाबूद हो जाएँगी। वेश्यावृत्ति का मूल कारण आर्थिक संकट है, जो बाद को मानसिक दुर्बलता का रूप धारण कर लेता है। जहाँ धन थोड़े से आदमियों के हाथ में है, वहाँ लाजिमी है कि धनवान लोग अपनी विलासिता को तृप्त करने के लिए प्रलोभनों से काम लें। उसी से बीमारियाँ भी फैलती हैं। जब किसी के पास इतना धन ही न रहे कि वह उसे विलासिता में उड़ा सके, तो वेश्यावृत्ति आप-ही-आप लुप्त हो जाएगी। फिर जब स्त्रियों के लिए जीवन के किसी विभाग में कोई रुकावट नहीं, तो वे क्यों इस लज्जास्पद वृत्ति का आश्रय लें। धन के लिए रूप को बेचना कोई पसन्द नहीं करती। वह तो प्रेम के लिए ही आत्म-समर्पण करना चाहती है। यदि वह परिश्रम से अपने जीवन को सुखी बना सकती है, तो वह यह घृणित आश्रय कभी न लेगी।

फरवरी 1934

वैवाहिक लेन-देन और कानून

चाँद के अप्रील अंक में श्री केशवानन्द वर्मा ने दहेज, कन्या-विक्रय आदि कुप्रथाओं को कानून द्वारा बन्द कराने का प्रस्ताव किया है। ऐसी प्रथाओं को कानून द्वारा तो क्या, यमराज द्वारा भी बन्द कराया जा सके, तो हमें-आपत्ति नहीं, लेकिन हमें भय है कि यहाँ कानून हमारी कुछ सहायता नहीं कर सकता। जो बात अभी खुल्लम-खुल्ला होती है, तब गुप्त रूप से होगी और किसी को खबर तक न होगी। जो आदमी विवाह का इच्छुक है, वह अपना सब कुछ बेचकर लड़की खरीदेगा। उसे आप किसी तरह नहीं रोक सकते। इसी तरह लड़की का बाप भी वर को खरीदने के लिए अपना घर तक बेच देता है। कानून तो तब बीच में आ सकता है कि कोई फरियाद करे? हाँ, विवाह के बाद कसर निकाली जा सकती है और लेनेवालों को बड़ा घर दिखाया जा सकता है। लेकिन, तब तो वही लेनेवाले अपने हो जाते हैं। कौन अपनी पत्नी के प्यारे पिता या अपने दामाद पर मुकदमा चलाएगा? नहीं साहब यह बेल मुँडेर चढ़ने की नहीं। हाँ सरकारी कानून अगर इतना कर दे कि वर-वधू के जोड़े बना दे और जबरदस्ती या रजामंदी से उनका विवाह करा दे, तब शायद कुछ उपकार हो सके। मगर तब वह रकम वर या कन्या के पिता की जेब में न जाकर पुलिस की जेब में जाएगी। शायद उससे ज्यादा। समस्या टेढ़ी है। जब तक लेन-देन समाज में घृणा की दृष्टि से न देखा जाएगा और जनमत उसे जघन्य न समझने लगेगा, तब तक यही दशा रहेगी। हमें अपनी सारी शक्ति यह जनमत तैयार करने में लगानी होगी। मुश्किल यह है कि वही आदमी, जो आज कन्या के विवाह में रिफार्मर बनता है और दहेज को लानत करता है, कल पुत्र के विवाह में लम्बी रकम डकार जाता है। कैसे काम चले।

अप्रैल 1934

क्या स्त्रियों का पाजामा पहनना ज़ुर्म है?

यों तो काले-गोरे का भेद इस संसार में सभी जगह मौजूद है, यहाँ तक कि इंग्लैंड और फ्रांस तक में भी कालों का अपमान होता रहता है, लेकिन यह मरज़ दक्षिण अफ्रीका में बड़े जोरों पर है और शायद बढ़ता जा रहा है। खबर है कि किसी हिन्दुस्तानी स्त्री को गोरी औरतों की देखा-देखी पाजामा पहनने का शौक़ चर्राया, लेकिन काली औरत गोरी औरतों की नकल करने का साहस करे—यह बात वहाँ के मजिस्ट्रेट साहब को नागवार गुजरी। इस स्त्री पर मुक़दमा चलाया गया और उसे जुर्माने की सज़ा दी गयी। यहाँ देहातों के बाज गँवार ठाकुर किसी शूद्र को कुर्ता टोपी पहने देखकर जामे से बाहर हो जाते हैं और उसकी अच्छी तरह मरम्मत करते हैं। मगर ये बेचारे ठाकुर मूर्ख हैं। वहाँ शिक्षित मजिस्ट्रेट एक महिला को मेमों की नकल करने के ज़ुर्म में सजा देता है! क्या वह भी इतना ही उज्जड नहीं है? हमें तो उस काली देवी की कुरुचि पर दया आती है, जो साड़ी ऐसी लोचदार चीज़ को छोड़कर पाजामा पहनने चली। जबसे हिटलर के जर्मनी में आर्यत्व की और अपनी संस्कृति को विशुद्ध रखने की नयी नीति निकली है, तब से काले-गोरे का भेद शायद और भयंकर हो गया है।

मई 1934

सन्तान-निग्रह और प्राकृतिक नियम

ब्रह्मचर्य के महत्त्व को हिन्दू-शास्त्रकारों ने जितना समझा था, उतना शायद और कहीं न समझा गया हो, लेकिन इसका उद्देश्य सन्तान-निग्रह नहीं, बल्कि मनुष्य के बल-बुद्धि की रक्षा करना था। उत्तम सन्तान के लिए भी बल-बुद्धि की रक्षा आवश्यक थी, लेकिन हम उस आदर्श से गिरते-गिरते यहाँ तक गिरे कि बाल-विवाह की भरमार होने लगी और उसे रोकने के लिए कानून बनाना पड़ा। प्राचीन आदर्श हृष्ट-पुष्ट सन्तानों से भरा-पूरा घर था। उस युग में आबादी की जरूरत थी और रोटी का प्रश्न इतना जटिल न था। अब जमाना बदल रहा है और संसार में जरूरत से ज्यादा आदमी हो गये हैं। इसके साथ ही बच्चों के पालन-पोषण का भार भी बढ़ गया है। हम अपने बालकों को पुष्टिकारक भोजन और अच्छी शिक्षा देना चाहते हैं, और बहुत से बच्चों का बोझ सिर पर लादकर अपनी जिन्दगी नहीं तल्ख़ करना चाहते। साधारण वित्त के आदमी को अगर सात-आठ लड़के-लड़कियों का खर्च उठाना पड़े, तो समझ लो कि उसकी और उसके बच्चों की शामत है। अपनी भी साँसत और बच्चों की भी साँसत। इसी जरूरत ने सन्तान-निग्रह के विचार को जन्म दिया। इसमें तो किसी को आपत्ति नहीं है, कि सन्तान निग्रह आवश्यक वस्तु है। मतभेद इसी में है कि वह उद्देश्य ब्रह्मचर्य द्वारा पूरा किया जाए या कृत्रिम सन्तान-निग्रह आवश्यक वस्तु है। मतभेद इसी में है, कि वह उद्देश्य ब्रह्मचर्य द्वारा पूरा किया जाए या कृत्रिम उपायों से। अगर ब्रह्मचर्य द्वारा हो सके तो सबसे उत्तम, लेकिन वह न हो सके तो हम कृत्रिम साधनों को भी बुरा नहीं समझते। कुछ विद्वानों का कथन है कि हमें प्राकृतिक विधान में बाधक न होना चाहिए, क्योंकि इसका परिणाम भीषण होता है। मगर मानव संस्कृति तो प्राकृतिक विधान के विरोध का ही नाम है। अगर हम प्रकृति-मार्ग पर ही चलते तो आज भी कन्दराओं में रहते और शिकार पर जिन्दगी बसर करते होते। प्रकृति पर विजय पाना तो मानवी सभ्यता का लक्ष्य ही है। हाँ सन्तान-निग्रह

के विरुद्ध जो सबसे विचारने योग्य बात है, वह यह है कि इससे स्त्री-पुरुष की भोग लालसा बढ़ जाती है, और विलास प्रवृत्ति पर अंकुश रखने के लिए जिस त्याग और बलिदान की जरूरत है, उसके शिथिल हो जाने के कारण स्त्री-पुरुष में प्रेम बन्धन ढीला हो जाता है और वह गृह कलह और असन्तोष के रूप में प्रकट होता है। इसके सिवा कुछ बीमारियाँ पैदा हो जाने की शंका भी रहती है, अतएव हमारे विचार में दम्पती को अपनी जरूरत, स्थिति, स्वास्थ्य आदि का विचार करके ही इस विषय में निश्चय करना चाहिए। इसके लिए कोई व्यापक नियम नहीं बनाया जा सकता।

मई 1934

नारियों के साथ अन्याय क्यों

अब तक समस्त संसार में यह क़ायदा था कि नारी को एक ही काम के लिए पुरुषों से कम मजूरी मिलती थी। पुरुष चार आने पाता है तो नारी को तीन आने ही दिए जाते हैं। शायद यह धारणा हो कि नारी पुरुष के बराबर काम नहीं कर सकती। या यह कि पुरुष को एक परिवार का पालन करना पड़ता है और नारी जो कुछ पाती है, सब अपने ही ऊपर खर्च करती है। लेकिन समय बदल रहा है या बदल गया है और अब नारियों ने सिद्ध कर दिया है कि बहुत से कामों में वह पुरुषों के बराबर ही नहीं पुरुषों से ज्यादा काम करती हैं। रहा परिवार का सवाल। तो अब यह जरूरी नहीं रह गया है कि नारी परिवारहीन हो। इस बेकारी के जमाने में कितने ही पुरुष अपनी पत्नियों की कमाई पर गुज़र-बसर करते हैं। और अब तो अविवाहित स्त्री भी पिचकारियों द्वारा सन्तानवती हो सकती है, फिर किस क़ायदे से उसको कम वेतन दिया जाय? हाँ, नारियों से हमारा नम्र निवेदन है कि अब वे एकान्तभोग की बान छोड़ें और अपने बेकार पुरुषों की उसी तरह नाज़बरदारी करें जैसे—पुरुष अब तक अपनी बेकार स्त्रियों की करता रहा है।

मई 1934

❑❑❑